Le Tueur des abattoirs

Manuel Vázquez Montalbán

Le Tueur des abattoirs

et autres nouvelles

TRADUIT DE L'ESPAGNOL
PAR CATHERINE DERIVERY

Éditions du Seuil

TEXTE INTÉGRAL

EN COUVERTURE :
Leonardo Cremonini, *Les Balcons d'Italie*
1953-1955 (détail)

Titre original : *Pigmalion y otros relatos*
Éditeur original : Seix Barral, Barcelone
ISBN original : 84-322-0567-2

ISBN 2-02-020499-1
(ISBN 2-02-012555-2, 1re publication)

Présentation
par Georges Tyras

Pygmalion, septième nouvelle de ce recueil, peut se lire comme une réflexion sur la création, sorte d'apologue proposé, sous couvert de l'éducation sentimentale et intellectuelle qu'il dispense à une femme aussi malléable qu'une statue d'ivoire, par un don juan conscient de ses atouts : « L'introduction du doute politique m'avait apporté autrefois des résultats inestimables parmi des femmes qui considéraient la chasteté comme un des principes fondamentaux du franquisme et que l'apparition de convulsions politiques préparait à une seconde phase de politisation par voie vaginale. » Mais le démiurge, au contraire de son éponyme mythologique, n'épousera pas sa créature : celle-ci, « une femme à qui j'avais appris à s'échapper », a trouvé dans la culture les fondements de son indépendance et d'une pleine socialisation. Lorsque l'on sait que ce texte, conduit à la première personne à la façon d'un journal intime, paraît en Espagne en 1973, soit deux ans avant la mort de Franco, la portée socio-historique de la fable se précise davantage.

Le Tueur des abattoirs est un texte de la même période – il est publié en revue en 1974 - également centré sur un personnage de séducteur. Ici, toutefois, la déraison s'installe et le portrait, au scalpel, est construit au fil d'une narration impersonnelle, habile à instaurer la distance ironique que rend nécessaire la cruauté glacée du propos. Le protagoniste, boucher de son état, est un esthète du dépeçage, qui fascine ses proies autant par sa puissance physique que par sa perception poétique de la chair, dont il est un consommateur boulimique. Justement, le problème est bien qu'au fond l'homme ne distingue la chair de la bête de celle de la femme qu'en termes de mode de consommation : « Bien propre et flambé, le corps du cochon est beau comme une femme nue qu'on couche sur soi, en croix sur son ventre, et dont on admire les rondeurs, çà et là. » La limite entre ces différentes approches charnelles s'avère aussi ténue que le fil du rasoir du personnage, et s'efface de façon sanglante au dénouement.

Ce sont ces deux textes, dont la portée parabolique n'échappe pas, mais dont la manière et la couleur sont bien différentes, qui président à la parution des récits brefs de Manuel Vázquez Montalbán. Recueillis en édition originale sous l'égide de *Pigmalión (y otros relatos)*, ils se retrouvent placés, en traduction française, sous l'invocation du *Tueur des abattoirs (et autres nouvelles)*. Et les deux titres ont des résonances si dissemblables, ils paraissent ouvrir des espaces littéraires apparemment si disparates que l'on peut s'interroger sur les raisons de ce glissement titulaire, que secondent au demeurant les choix distincts d'appellation générique : *récits* en espagnol, *nouvelles* en français.

De fait, la pratique éditoriale a des raisons que l'histoire littéraire méconnaît, et sans doute la tentation était-elle forte de rappeler, par le choix d'un titre plus spectaculaire, tout ce que la réputation de l'intellectuel catalan doit à l'évocation des comportements déviants, à la peinture des faillites sociales, à la chronique de la mort violente, autrement dit à la culture d'une narration d'inspiration « policière ». On ne s'en offusquera que le temps de rappeler que le nom de Vázquez Montalbán correspond bien, en termes de réception de l'œuvre littéraire, à un horizon d'attente déterminé. L'écrivain n'est véritablement connu du public français que depuis 1981, date à laquelle *Marquises, si vos rivages*, traduction de *Los mares del Sur*, obtenait le Grand Prix de littérature policière et introduisait son protagoniste, Pepe Carvalho, au panthéon des personnages du roman noir[1]. Bien sûr, ce détective barcelonais d'adoption, à la conduite aussi atypique que la famille qui l'entoure, amant passif et fin gourmet, plus attiré par les victimes que par les coupables, est devenu l'une des figures les plus séduisantes du roman contemporain, toutes frontières génériques et nationales franchies, et il est juste que sa gloire rejaillisse sur son géniteur. Il l'est moins que, par effet perversement induit, soit occultée une réalité que la parution de ce recueil de nouvelles – quel que soit son titre – vient opportunément rappeler : l'écriture d'aventures « policières » n'est qu'une des facettes de l'aventure d'une écriture qui se poursuit depuis trente ans.

Le Tueur des abattoirs (et autres nouvelles), donc, rassemble dix-sept récits rédigés entre 1965 et 1986, et la composition de ce florilège montalbanéen permet de pointer brièvement les phases majeures et les directions essentielles d'une production continue, caractérisée par une impressionnante diversité générique et stylistique. Au point que c'est

1. Paru aux éditions Le Sycomore, Paris, 1980, puis republié sous le titre *Les Mers du Sud* aux éditions Christian Bourgois en 1988.

un lieu commun outre-Pyrénées d'évoquer les différents aspects d'une activité protéiforme couvrant à peu près tous les territoires du texte.

Avec une série de constantes qui ne sont pas toujours comprises. C'est par exemple dans la volonté de rendre à des matériaux culturels d'origine populaire une dignité littéraire que leur dénie l'Institution des Lettres que la rédaction d'anthologies de chansons populaires, la compilation de recettes de cuisine régionale ou le collage de textes graphiques en poésie trouvent leur cohérence. La nouvelle intitulée *Sur quoi travailles-tu actuellement ?* se fait en 1985 l'écho sardonique et désabusé à la fois de cette incompréhension militante que pratique certaine critique, capable ou coupable de faire régner la « Terreur au Salon du livre » : « Mais si tu survis, arrivera inévitablement cette fille collée à son magnétophone, pour dire que tu es polyvalent et prolifique et poète et romancier et essayiste et journaliste et gastronome, comme si la gastronomie était un genre littéraire. »

Cette diversité s'accompagne d'une certaine pluralité stylistique. La naissance à l'écriture de Manuel Vázquez Montalbán remonte à un séjour en prison de dix-huit mois, provoqué par sa condamnation en 1962 pour activités antifranquistes. Or, dimension de choix de son combat idéologique incessant, l'opposant dénonce dès ses premiers textes les restrictions culturelles exorbitantes imposées par le régime en place. Commence alors une longue période de recherche scripturale qui ne prendra fin qu'avec la mort du Caudillo, et dont l'écrivain lui-même, au tournant des années soixante-dix, qualifie le produit d'« Écriture subnormale » :

J'écris maintenant comme si j'étais débile, c'est la seule attitude ludique que peut s'autoriser un intellectuel soumis à une organisation de la culture précairement néocapitaliste.

La culture et la lucidité, conduise à la subnormalité [2].

Ainsi s'expliquent la tonalité grinçante et la dérision sarcastique, le refus de la linéarité narrative et du sens immédiat de certains de ces récits. Les pochades sardoniques mettant en scène tel grabataire qui assiste impuissant à sa propre agonie (*« Le chef crève de rage »*), ou tel géronte cherchant en maillot rouge un salut aquatique (*« Mao descend le Yang-Tsé-Kiang »*), les portraits surréels de *« L'éditorialiste de politique étrangère [...] devenu fou »* à force de vouloir convaincre de Gaulle de sa forfaiture, ou du *« garçon au costume gris »* qui « croyait en la morale de l'Histoire et en la moralité de sa propre histoire » datent de la période subnormale ou relèvent de l'écriture du même nom. Il est donc risqué d'avancer, comme le fait Jean-Charles Gateau, dans une recension au reste d'une grande finesse [3], que les textes présentés ici soient « de qualité irrégulière ». Sans doute leur traduction française, méritoire – car traduire Vázquez Montalbán s'avère d'une rare difficulté pour qui ne maîtrise pas les racines complexes et les échos multiples de son écriture – ne restitue-t-elle qu'imparfaitement les ruptures et les contrastes d'une pratique somme toute expérimentale. Mais les récits les plus surprenants de ce recueil sont tout à fait

2. « Poética », in José-María Castellet, *Nueve novísimos poetas españoles*, Barcelona, Barral Editores, 1970.

3. « L'avant-centre mourra ce soir », *Journal de Genève et Gazette de Lausanne*, Samedi littéraire, 27 octobre 1991.

représentatifs d'un mode d'expression conçu comme seul capable, étant donné l'inaptitude de l'écriture narrative traditionnelle, de traduire la sensation de stupidité collective et de sous-développement mental provoquée par le franquisme. Les cinq premiers textes ont d'ailleurs fait l'objet en Espagne, dès 1969, d'une première publication sous le titre collectif de *Recordando a Dardé y otros cuentos*, et l'on aurait beau jeu d'y rechercher, jusqu'au niveau du détail, les liens explicites avec la production subnormale. A titre d'exemple, la maxime qu'adopte *« Le garçon au costume gris »*, « soyez relativiste en tout ce qui ne vous importe pas », figure en bonne place parmi les exercices de style de la déclaration d'intention de l'auteur, le superbe *Manifiesto subnormal* de 1970.

Le régime franquiste disparu, ce mode scriptural n'aura plus de raison d'être. Manuel Vázquez Montalbán, pourtant, ne cesse de nourrir un scepticisme viscéral vis-à-vis de la narration traditionnelle : elle lui apparaît inapte à donner une réponse adéquate à la nécessité pour l'écriture d'assumer une pleine fonction référentielle. Il s'engage alors, après l'étape intermédiaire que représente *Yo maté a Kennedy*, sur une voie tout aussi expérimentale que la précédente, celle du roman noir. Avec *Tatouage*, paru fin 1974, s'ouvre le cycle Carvalho, envisagé dès l'abord comme une chronique de la transition démocratique – c'est ainsi que les Espagnols appellent la période conduisant de la mort de Franco, 1975, à la victoire électorale du PSOE de Felipe González, 1982, voire pour certains, à l'entrée de l'Espagne dans le marché commun, 1986. Le roman noir est alors chargé de résoudre le délicat problème technologique du point de vue : c'est désormais un « private eye » qui perçoit la réalité et en transmet les images. A ce titre, comme à bien d'autres d'ailleurs, il faut considérer l'adoption de la poétique « policière » par Montalbán comme une pratique relevant des mêmes manipulations de laboratoire textuel que le pragmatisme subnormal. Il n'y a pas solution de continuité dans l'écriture montalbanéenne, mais une lente mise au point, au sens photographique du terme, d'une écriture entièrement conçue comme l'instrument de la diction du réel.

De cela aussi, *Le Tueur des abattoirs* est l'expression. Pas seulement parce qu'y figure, contemporaine de *Tatouage*, la nouvelle « policière » traitant sur le mode grotesque du *« lâche assassinat d'Agatha Christie »*. Plus certainement parce qu'y prend place, indice de la permanence des obsessions thématiques de l'écrivain, un conte cruel, *« L'avant-centre [fut] mangé au crépuscule »*, qui préfigure sur le mode amer de la bouffonnerie certaines des préoccupations qui informent le huitième épisode de la saga Carvalho, intitulé en espagnol *L'avant-centre fut assassiné au crépuscule* (titre français, brillamment expéditif, *Hors-jeu*[4]). Mais sans doute aucun parce qu'il convient de prendre ces dix-sept nouvelles comme autant de métaphores d'une Espagne qui, dès les années soixante, a des odeurs de fin de régime et se dirige vers une modernité imposée trop artificiellement – entre autres choses par injonction massive de l'*american way of life*, dont le consumérisme outrancier que caricature *D'une aiguille à un éléphant* est un des ingrédients les plus révoltants – et qui fera trop de laissés-pour-compte.

L'année précédant la parution de ce volume, son éditeur espagnol rassemblait l'ensemble de la production poétique

4. Christian Bourgois, 1991.

montalbanéenne sous le titre de *Memoria y deseo* (*Mémoire et Désir*, inédit en français). Le préfacier de l'anthologie, José-María Castellet, critique et directeur littéraire catalan de renom, isolait, d'un poème exemplairement intitulé *Prague*, un vers qui lui semblait contenir tout Montalbán : « Vie, histoire, rose, tank, blessure. » Entre poésie et narration, il existe un lien fort : l'ancrage décidément idéologique de l'écriture. Les personnages qui traversent les récits que le lecteur a entre les mains incarnent les hantises qui sillonnent la production montalbanéenne depuis l'origine : vaincus de l'histoire, êtres rongés par les manques de toute nature, et dont la sexualité impuissante n'est que la facette emblématique de l'impossibilité du désir, êtres étouffés, souffrants des multiples revers de l'existence. Le chemin est long et douloureux de cette Espagne mutilée, incertaine de sa mémoire et surprise de son avenir, confrontée pour une large part à la marginalité de son destin. Et les perspectives démocratiques semblent bien dérisoires, aussi : alors que désormais *Le Voyage* – c'est le titre du dernier récit, daté de 1986 – devrait être sans histoire, il ne débouche que sur « la sinistre géographie des terrains de golf qui transforme une partie de cette terre en une parodie du vide et du vertige que l'on ressent aux abords des confins de l'Univers ».

Est-ce à dire que la fuite elle-même ne constitue pas une échappatoire ? L'admirable essai que Vázquez Montalbán a consacré à Gauguin, justement intitulé *La Longue Fuite*[5], montre que l'idée même d'un paradis perdu ou lointain est devenue, dans le monde comme il va, inconcevable. Car les mers du Sud ne sont que mythes, et les voyages « des exer-

5. Flohic Éditions, 1991 (*Musées secrets*, 6).

cices de mémoire [qui] n'existent que de façon très aléatoire dans la réalité. » Ces vingt années de nouvelles constituent en dernière analyse le temps requis par l'élaboration d'une esthétique de la frustration qui, comme le dit joliment Florianne Vidal, doit se comprendre « comme la condition nécessaire au constant renouvellement de l'imaginaire[6]. » C'est dire qu'au moment de refermer *Le Tueur des abattoirs*, le lecteur aura compris qu'il vient, lui, d'effectuer le seul voyage susceptible de ne pas se clore sur l'échec et l'amertume : une croisière au fil des textes.

Dont le terme ultime est peut-être bien le havre de paix édénique qu'offrent les souvenirs d'enfance. La nouvelle qui ouvre le recueil, *1945*, tout empreinte de traits autobiographiques qu'un lecteur attentif retrouvera dans bien des romans, « policiers » ou non, suggère que l'âge de l'innocence est le seul lieu d'où l'on voudrait ne jamais repartir. L'enquête sur le monde ne serait-elle, en dernière analyse, qu'une quête de soi ?...

6. « Blessures à gauche », *Les Lettres françaises*, n° 11, juillet-août 1991.

Né en 1939 à Barcelone, Manuel Vázquez Montalbán est un des écrivains qui a le plus rénové la littérature contemporaine espagnole. Projeté sur la scène internationale grâce aux aventures du détective privé Pepe Carvalho, il est également l'auteur, aux éditions du Seuil, de La Joyeuse Bande d'Atzavara, Le Pianiste, Ménage à quatre, *et* Galíndez *qui a obtenu le prix Europa 1992 et, en Espagne, le Prix national de littérature.*

1945

Presque chaque jour, il tournait la manivelle de son piano mécanique, juste après les cris du chiffonnier et un peu avant ceux du Machaquito : « Il arrive, le Machaquito Pinchauva, celui qui répare les parapluies au moindre prix. » Ensuite viendrait le rémouleur, et puis le mendiant à la veste marron, sans chemise, qui chantait devant le portail d'en face : « *El vino que tiene Asunción ni es claro ni es tinto ni tiene color...* » Et en dernier, passé midi – à cause de son grand âge peut-être –, arrivait un petit vieux propret aux cheveux blancs, qui chantait en catalan : « *Rosó, llum de la meva vida...* » Les jeunes filles du quartier sortaient sur leurs balcons à chacun de ces événements et les vieilles pièces de monnaie de l'après-guerre tintinnabulaient sur les pavés. Les gamins aidaient le vieux chanteur catalan à les ramasser, et certains en profitaient pour fourrer dans leur poche quarante ou cinquante centimes qu'ils allaient jouer ensuite à la roulette de Peque. Les jeunes filles du quartier portaient des tabliers en cretonne. Aux fenêtres des balcons, il y avait des rideaux, en cretonne eux aussi, et des jardinières plantées de géraniums. Seule Mme Paca avait réussi à faire pousser des petits œillets, aussi descendait-elle assez souvent ramasser le crottin des percherons qui tiraient la carriole verte de l'éboueur. Puis Mme Paca grattait la terre de ses pots et la fumait avec le crottin ou avec du marc de café.

« Mme Paca est mariée à un garde civil qui s'est mis à la retraite anticipée grâce à la loi d'Azaña, me disait ma mère, sans trop d'illusions sur ma capacité à comprendre ce qu'elle voulait dire. En revanche, une des filles de Mme Paca, la toute petite, celle qui a des cernes, son mari est en prison.

– Le père de Ginés ?

– Le père de Ginés. »

Un jour que ces voyous d'anarchistes avaient attaqué un bar de la rue de la Cera, je me suis approché de Ginés, dans les rangs, au collège, et je lui ai dit :

« Ton père est en prison. »

Il ne m'a pas répondu, mais le lendemain il m'a donné une grande gomme, jaune et tiède. Nous avions l'habitude de jouer ensemble, Ginés et moi, chacun sur son balcon. On faisait semblant de courir dans deux trains qui se poursuivaient. Il nous suffisait de changer le sens de notre derrière pour que son balcon suive le mien, ou l'inverse.

« Pourquoi il est en prison, le père de Ginés ? ai-je demandé à ma mère.

– Parce que c'est un rouge.

– Un républicain... », corrigea mon père.

De temps en temps, mon père me donnait quelques pièces pour que je les jette au mendiant de midi.

« Les autres sont jeunes. Ils n'ont qu'à travailler.

– Pour le travail qu'il y a par les temps qui courent..., objectait ma mère.

– J'en ai bien trouvé, moi.

– Va-t'en savoir. Peut-être qu'il est fiché ou malade, ce pauvre homme au piano mécanique. »

Ma mère me donnait de la petite monnaie pour tout le monde.

Elle aimait bien le piano mécanique. Elle fredonnait les chansons, et du patio montaient les voix des autres femmes qui chantaient aussi.

« Tu crois qu'ils gagnent beaucoup d'argent, ceux qui chantent dans les rues ? »

Ma mère me dit que non, qu'ils devaient en gagner peu, que les seuls qui en gagnaient, c'était les trafiquants qui faisaient du marché noir.

« La Doro ?

– Non, celle-là, non. Celle-là, elle en fait pour manger. »

Parce que au coin de la rue la Doro et deux autres femmes en tablier vendaient du pain blanc et du tabac : « Tabac blond. Pain blanc. Qui veut du pain et du tabac ? » Une litanie qu'elles répétaient toute la matinée. L'après-midi, en revanche, le coin était réservé aux gitans du Bar Moderne, des camelots urbains sédentarisés, qui parlaient catalan et chantaient les derniers succès de Pèpè Blanco, Manolo Caracol ou Pèpè Pinto.

« Moi, ceux du bar, je les enverrais casser des cailloux », disait ma mère.

Mon père, en revanche, s'asseyait toutes les nuits sur le balcon pour écouter les chansons des gitans. Je me blottissais entre ses jambes, et lui, de la main, pianotait doucement le rythme sur mon dos.

« Ils gagnent de l'argent, les gitans ?

– Comme tout le monde. Un peu. L'argent, ça trompe. »

Puis mon père et ma mère se désintéressaient de moi pour se raconter une fois de plus l'histoire de Rosita. Pendant la guerre, sa famille avait été jusqu'à mendier pour avoir un peu d'argent.

« Pendant la guerre, l'argent ne valait rien. La nourriture, si. »

Ma mère expliquait alors les tractations de mon oncle qui avait battu la campagne à vélo pour marchander avec les paysans quelques sacs de haricots ou un morceau de lard salé. Mais l'histoire de Rosita revenait toujours sur le tapis. A la fin de la guerre, l'argent républicain s'était dévalorisé. De désespoir, Rosita s'était jetée du balcon. Elle était morte là où la rue débouche sur la place du Padró, tout près des rails sur lesquels passait, avant la guerre, un tramway qui allait vers les Rondas. Les rails sont encore là, entre les pavés déboîtés que les gamins terminent d'arracher.

« Chacun comprend la guerre comme bon lui semble. Comme Juanito Dolç. »

Juanito Dolç n'avait jamais eu de chance dans la vie. Don Frutos – oh, don Frutos ! –, l'instituteur du collège de mon oncle, avait déjà mis en garde mon grand-père pour que son fils ne fréquente pas Juanito Dolç : « Don José, cet enfant porte le mal en lui », répétait ma mère, avec des mots et une emphase dont elle n'était pas coutumière. Je n'ai jamais pensé à demander à mon oncle s'il avait respecté l'ordre paternel : je crois qu'il ne l'a pas fait.

La vie de Juanito Dolç fut un fatal accomplissement de son destin.

« On n'a jamais entendu dire qu'il ait travaillé à quelque chose d'honnête... je crois que maintenant il vit en France. »

Juanito Dolç avait changé de collège, et son nouvel instituteur avait persisté dans l'opinion du précédent : « Cet enfant porte le mal en lui. » En outre, Juanito Dolç était sale et pas très beau.

« Il était contre le gouvernement, disait ma mère en louchant, il avait le poil rebelle... »

Puis, en passant sa main rugueuse sur mes cheveux impeccablement peignés et lissés, elle ajoutait : « Je ne l'ai jamais vu coiffé.

– Quand la révolution a éclaté...

– Quelle révolution... ?

– Bon... ce qui est arrivé le 17 juillet... je me comprends... quand " ceux-là "... »

(« Ceux-là », dans la rue, voulait dire les nationalistes.)

« ...ont voulu faire le coup d'État, Dolç s'est précipité dans la rue avec d'autres du quartier et ils ont commencé à mettre le feu aux églises. Je ne dis pas que les curés soient des saints, mais ils ne méritent pas tous ça. Regarde Mestre Canis par exemple, comme il s'est bien comporté avec la fille de Mme Paca et avec son gendre.

– Le papa de Ginés ?

– Oui... Tiens, maintenant je me souviens... la seule personne que Juanito Dolç ait jamais respectée, c'était Mestre Canis... Donc, comme je le disais tout à l'heure, il a commencé à tout brûler. Il était de la FAI [1]. La plupart des brutalités, ce sont ceux de la FAI qui les ont commises. Par ignorance... tu sais. Juanito Dolç est allé

1. Fédération anarchiste ibérique *(N.d.T.)*.

au collège... pas à celui de don Frutos, qui était déjà mort... à l'autre, à celui du Chinois don Isidro, celui où j'aimerais bien que tu ailles... Ils enseignent bien... Juanito Dolç est allé au collège avec d'autres et ils ont jeté les tables, les livres et les crucifix par les fenêtres... après, ils y ont mis le feu, au milieu de la rue du Carmen. Plus tard, Juanito Dolç s'est acoquiné avec une poissonnière, de ces filles qui tous les jours s'envoient un coup de gnôle au café en guise de petit déjeuner... une fille ordinaire.

– Sûr que pendant la guerre il n'a pas tiré un seul coup de feu, commentait mon père chaque fois.

– C'est ce qu'on dit. Il est resté planqué à l'arrière. Des dégonflés, il y en avait beaucoup, et pendant ce temps-là, mon frère et toi, vous étiez au front... mon frère était volontaire... des gars comme lui, ça c'est des patriotes. »

Dans notre rue vivait encore une sœur de Juanito Dolç. Elle boitait et vendait des billets de loterie; elle était séparée de son mari, un manchot qui travaillait comme gardien dans un garage. La fille de la boiteuse était très jolie; en ce temps-là, c'était une petite fille un peu plus vieille que moi et, selon les voisines, la seule personne sensée de toute la maison. Aurora faisait toutes les commissions pour sa mère et elle savait même mettre la marmite d'eau sur le fourneau.

« La marmite d'eau ! A huit ans, tu te rends compte ! »

Les femmes de la rue aimaient bien Aurora. Elles lui donnaient des carrés de chocolat. Parfois, une voisine sortait sur le balcon et criait : « Aurora ! » Alors, elle descendait dans la rue et grimpait les escaliers jusqu'à l'étage de sa voisine. Tout le monde savait qu'on lui avait gardé une assiette de nourriture.

J'imaginais Juanito Dolç comme un géant habillé tout en cuir, qui un beau jour arriverait, tel Tarzan ou Zorro, sautant de balcon en balcon, suspendu au bout d'une corde. Juanito Dolç s'élançait sur le balcon de la maison où on avait donné à manger à sa nièce. Il offrait un jambon à ses habitants et commençait à tuer tous les voisins. Seule la Doro résistait et lui disait de ces choses qu'elle dit toujours : « bâtard », « cocu », « putain de ta mère », « j'ai plus de couilles que toi », etc.

D'autres fois, je mêlais l'image de Juanito Dolç aux histoires de maquis que me racontaient mon père et un frère de ma grand-mère. Juanito Dolç m'apparaissait, courant entre les montagnes du Maestrazgo, entrant dans une grotte où ses camarades l'attendaient. Il portait sur son dos un bison mort. Ils le dépeçaient, le faisaient rôtir et le mangeaient. Ensuite, Juanito Dolç se battait avec un des gars parce que, lors de l'assaut d'une caserne, il s'était comporté comme un lâche.

A la maison, il y avait des vieilles cartes de bristol bleu. Un jour, sur l'une d'elles, j'ai dessiné un athlète costaud que j'ai appelé Juanito Dolç. Ensuite, je l'ai découpé, puis j'ai dessiné et découpé de même ses adversaires. Mes figurines de carton bleu se donnaient des coups de poing aussi terribles qu'inefficaces, puisqu'elles survivaient toujours et étaient prêtes à recommencer. Juanito avait sans cesse le dessus. Comme le capitaine Fracasse il sautait du haut du dossier d'une chaise sur le sol de brique repeint en rouge par ma mère à chaque printemps. Parfois, les exploits de Juanito Dolç avaient lieu sur le balcon, sur la balustrade, au bord de l'abîme.

« Qui c'est qui gagne ? me demandait Ginés, un peu jaloux de mon idée.

– Juanito Dolç... l'oncle d'Aurora... »

Alors, il tirait avec un pistolet imaginaire tout en doigts contre mon balcon, essayant de me tuer Juanito Dolç. Mais Juanito Dolç était immortel. Je lui écrivis sur la poitrine les trois lettres FAI et, au nom de la Fédération anarchiste ibérique, il donnait les coups de poing les plus brutaux de l'histoire. Quand un Juanito Dolç était usé, j'en fabriquais un autre, puis un autre encore, augmentant la taille du poing droit à mesure que grandissait mon affection pour lui.

Un jour, sa sœur vint chez nous demander à ma mère de lui arranger une vieille robe. A cette époque, ma mère avait recommencé à travailler à la maison, ce qui me permit de connaître de près de nombreuses habitantes occasionnelles des balcons. La sœur de Juanito Dolç portait une énorme botte noire, brillante, et s'aidait d'une canne en bois usé, terminée par un gros tampon de caoutchouc. Elle me caressa la joue et complimenta mon allure.

« Je n'ai pas le temps de m'occuper d'Aurora ; pauvre petite, toujours à traîner...

– Mais vous avez de la chance avec cette petite, elle est déjà...

– Oui, oui... mais... une fille est une fille... tandis qu'un garçon...

– Mais elle n'a que huit ans. »

Et tout ça donnait lieu à des histoires terrifiantes de

vampires humains qui se promenaient en toute liberté et suçaient le sang des enfants, une savoureuse suralimentation en ces temps de rationnement. Les clientes de ma mère étaient des femmes bizarres à la vie inquiétante : une veuve de guerre qui s'appelait Margaret et paraissait étrangère ; une autre veuve, d'après-guerre celle-là, mariée à un important dirigeant de la CNT mort en Belgique renversé par un train ; une fille qui s'était enfuie de chez elle en 1940 avec un avaleur de lames de rasoir qui travaillait dans un cirque ; une tireuse de cartes qui avait un œil de verre et sept énormes poils gris au menton ; une chanteuse de zarzuela spécialiste de *La Alsaciana,* du maître Guerrero. Mais celle qui se détachait du lot, c'était la mère d'Aurora, avec sa grosse chaussure, ses cernes violets, cette douce caresse qu'elle me donnait sur les joues et le front. Et surtout, son frère, le fascinant Juanito Dolç.

Un jour, ma mère m'a confié à la marchande de charbon pendant qu'elle allait faire une course. Je me suis vite lassé des différents compartiments où l'on classait le charbon selon les prix. Pourtant, c'était joli, ce charbon en forme de boules, qui ressemblaient à des petits boulets de canon d'un noir grisâtre et brillant, et cette charbonnaille qui sentait le pipi de chat. La charbonnière m'a donné du pain qu'elle venait d'acheter, croustillant, grillé, chaud, et une poignée d'olives noires, de celles qu'on appelle « d'Aragon ». J'ai jeté les noyaux dans la charbonnaille et des clientes se sont plaintes parce que, direntelles, « entre ça et le pipi de chat, le charbon ne vaut pas ce qu'il pèse ».

Honteux, je me mis à shooter dans une boîte de conserve

sur le trottoir, et je trébuchai sur un corps. Du corps sortirent deux bras qui me repoussèrent à une distance respectueuse. Un costume de velours pour un corps maigre et court. L'homme arborait un léger sourire, plein de dents nicotinisées et d'yeux battus et glauques, quelque peu jaunâtres. Il portait un béret et une barbe vieille de plusieurs jours. Quand il s'est remis à marcher, j'ai remarqué qu'il courbait le dos et que son pantalon élimé brillait. J'ai vu aussi ses chaussettes trouées au talon, découvrant une ronde obscénité à chaque pas de ses chaussures en loques. Je l'ai vu buter contre une femme, puis contre le vendeur de la boutique d'espadrilles et, avant de tourner le coin de la rue, contre la Doro. La trafiquante l'a envoyé se faire foutre et s'en est prise à sa putain de mère. L'homme ne s'est même pas retourné et la Doro a continué de crier jusqu'à ce que les protestations d'une cliente fassent diversion.

La charbonnière était appuyée contre une colonne de paniers et regardait la scène en souriant.

« Il est malade, cet homme ?

– Il est soûl », me répondit-elle.

J'ai revu l'homme quelques jours plus tard. Endormi entre les décombres de l'édifice où se trouvait autrefois la prison des femmes. Maintenant on l'appelait la place de la reine Amélie. Ma mère me tenait par la main et quand elle a vu le dormeur, elle m'a écarté, me tirant par le bras avec acharnement. Mais je savais déjà qu'il s'agissait de Juanito Dolç, qu'il était revenu de France depuis peu, qu'il avait déjà été renvoyé de deux ou trois emplois dont l'un était intéressant. Il devait conduire un tricycle pour le compte d'un garçon de courses de la rue Radas. Cent pésètes la semaine et les pourboires en plus. Des heures supplémentaires. Un travail mauvais pour les poumons. « Mais il faut bien mourir de quelque chose, et par les temps qui courent, disait ma mère, celui qui n'est pas tuberculeux le sera bientôt. »

1965

L'éditorialiste de politique étrangère est devenu fou

Vers une heure du matin, le télex et moi sommes pratiquement seuls. C'est pour ce moment-là que le transmetteur garde ses meilleures informations. La guérite du rédacteur en chef reste déserte pendant que ce dernier jette un coup d'œil dans la salle des machines et échange quelque insulte amicale avec le responsable de service. Alors moi, chef de la section de politique étrangère d'un des quotidiens les plus importants, je m'assois au télex et regarde s'allonger la langue blanche, pleine de coquilles, crachées avec la même spontanéité que le font tous les purs esprits. Je lis les dernières nouvelles de la nuit et tente d'imaginer des scènes : Jakarta... deux cent mille communistes courant dans les rues avec leurs vêtements en flammes, poursuivis par les musulmans, portant des pancartes aux effigies souriantes de Ringo Starr ou John Lennon. Les yeux des deux cent mille communistes indonésiens sont dilatés de peur. C'est alors que j'apparais, moi, habillé en Arabe, et me présente à la multitude comme Mohammed VI ou Soliman XXIII, grand esprit conciliateur entre Allah et Karl Marx. Mais arrive le consul américain qui m'arrache ma djellaba.

« Ce n'est pas Soliman XXIII ! C'est un agent de la Chine communiste ! »

... Et me voilà obligé de courir moi aussi comme un communiste en feu. Lentement, j'arpente le grand navire de la rédaction. Par la fenêtre ouverte, le parfum des platanes sauvages essaie en vain de supplanter les puissants arômes de café et de petit matin. Je suis un peu nerveux, sans savoir pourquoi. Je me souviens que j'ai quelque chose à faire... La lettre à de Gaulle. Aujourd'hui, je ne lui ai pas écrit.

Déontologie professionnelle

Votre serviteur a assisté à des cours de déontologie professionnelle. C'est dire que votre serviteur n'est ni n'importe quel grouillot ou auxiliaire administratif promu au rang de journaliste ni le neveu du chiffonnier qui a la concession de toutes les chutes de papier des salles de rédaction ou de celle des machines (je vous dis ça parce que le chef de la section de politique intérieure est le petit-neveu du chiffonnier du journal). Donc, votre serviteur a étudié la déontologie professionnelle, la théorie et la technique de la publicité, la théorie et la technique de l'information... Sans y être obligé, si ce n'est par un désir personnel d'auto-information et par respect envers le public qui veut et doit être informé, j'ai des ardoises dans presque toutes les librairies de la ville et je lis jusqu'à l'aube au risque de devenir aveugle et de vieillir prématurément.

Et comme j'ai étudié la déontologie et que je lis jusqu'à

l'aube, je suis au courant du pourquoi et du comment de tout ce qui se passe... Je sais... Je sais beaucoup plus que ce que je raconte dans ma colonne quotidienne. Et si je ne dis pas tout ce que je sais, que personne, personne n'aille penser que c'est par manque de courage ou par goût du secret ! C'est par obéissance à la sage maxime de saint Augustin : parfois, ne pas dire toute la vérité n'est pas mentir, ce peut être une forme supérieure de vérité. Je ne prétends pas éblouir les lecteurs potentiels de ces lignes en faisant étalage d'une culture qui, il faut bien le dire, est vaste et a été édifiée dans l'effort, l'amour et la douleur, comme autrefois on savait construire les choses... avant... bien avant l'apparition de la société de consommation qui a tout saccagé et tout emporté comme l'inondation emporte l'humus qui enrichit la terre, la féconde et la protège.

De Gaulle au pouvoir

Quand Charles de Gaulle est arrivé au pouvoir en 1958, je croyais encore à l'interprétation linéaire de l'histoire. C'est-à-dire : Louis XVI, Napoléon, Louis XVIII (ce serait trop long d'expliquer pourquoi il manque Louis XVII), etc. IIe République, IIIe République, IVe République... De Gaulle. Quel imbécile j'étais, je lisais les ouvrages historiques des libéraux anglais de la dernière heure et réussissais à esquiver toute relation – de pensée, de parole, d'action ou d'omission – avec les livres figurant à l'Index. Et je dis quel imbécile, parce que l'une des informations que le télex m'a transmises avant-hier est que Sa Sainteté

Paul VI a supprimé l'Index. Mais l'arrivée de De Gaulle au pouvoir en 1958 m'a mis sur la piste d'une importante découverte. Selon des sources confidentielles que je ne peux révéler, je suis arrivé à la conclusion que ce ne sont ni la tradition, ni l'histoire, ni la providence qui ont amené de Gaulle au pouvoir..., mais – et je frémis en prononçant ces mots – la banque Rothschild. Certains groupes financiers avaient intérêt à déstabiliser la gauche française en raison de la crise des institutions démocratiques, conséquence de l'impuissance de l'État à résoudre le problème de la liquidation de l'impérialisme politique français et, concrètement, du conflit algérien. Quand j'ai appris cela, j'ai sombré dans une véritable crise. Le rédacteur en chef, une tête de lard d'Estrémadure de l'époque des croisades, m'a lancé une pique :

« Vous avez mauvaise mine. »

Je lui ai souri avec finesse et il m'a laissé tranquille. J'ai surmonté mon traumatisme tout seul, absolument tout seul. Je me sentais trahi et je compris alors les plaisirs occultes qui se cachent dans les replis de la vengeance. Je pris une décision héroïque. Je me mis à lire un livre de Bertrand Russell *(Mariage et Morale)* qui, bien que n'ayant rien à voir avec le gaullisme ou l'antigaullisme, me fit l'effet d'un révulsif, d'un énorme renvoi intempestif. Pour exprimer ma révolte, je laissai traîner sur ma table le livre de Bertrand Russell, la couverture bien en évidence. Le rédacteur en chef ne vit pas personnellement le livre, mais un journaliste de la section des sports, lui, le vit et le commenta à l'Estrémadurien. Celui-ci sortit de sa guérite et, me lançant un coup d'œil en coin, se dirigea vers le bureau du directeur. Un instant plus tard, le directeur traversait la salle au pas de l'oie, le bras levé et poussant les hurlements d'usage. Lui aussi jeta un coup d'œil en coin sur ma table et pâlit. Personne ne me dit rien, mais cette année-là je n'eus pas d'augmentation de salaire sous prétexte que le déficit de la balance des paiements avait plongé le pays dans l'austérité. Je souris cyniquement et achetai dix livres de Bertrand Russell que je me gardai bien d'apporter à la rédaction.

Théorie et technique de l'information

Quand le général de Gaulle nomma Pompidou Premier ministre, ce fut pour moi une confirmation. Pompidou lieutenant de Rothschild... Après l'aéronautique française, Dassault... Enfin, passons. J'ai suivi de A jusqu'à Z tous les discours pontifiants sur la responsabilité du journaliste dans le monde moderne. Bien que je considère la responsabilité du journaliste comme très inférieure à celle des quelque deux cent treize catégories administratives, économiques et politiques qui étouffent son opinion, j'admets qu'il reste au journaliste une petite voix fatiguée mais néanmoins influente. Pour couper court à toute tentative de m'attribuer des délires de grandeur que je n'ai pas, je me dépêche de vous dire que je ne crois pas avoir tant d'importance, mais que je suis un homme normal et que j'ai mis au service de ma morale toute l'efficacité des moyens dont je dispose. Par exemple : je ne peux écrire dans le journal qu'un homme politique européen est un assassin, mais je peux citer les morceaux les plus stupides de son discours, couper les plus brillants, et même sélectionner les photos les moins à son avantage. Une fois, j'ai pu choisir entre deux photos de De Gaulle. Sur l'une d'elles, on voyait de Gaulle en train d'embrasser un enfant vendéen. Sur l'autre, il était devant la cathédrale d'Orléans avec à ses côtés une superbe dame déguisée en Jeanne d'Arc qui écoutait, extasiée, le discours du Général. J'ai publié cette photo-là avec en légende : « Jeanne au bûcher ? ». Une autre fois, j'avais à choisir entre deux photos du président des États-Unis. L'une montrait le Président qui asseyait sur ses genoux un petit Noir, l'autre une monstrueuse cicatrice d'une opération d'appendicite. Elle traversait un bourrelet de chair qui pendait de son flanc droit. J'ai mis en légende : « Blessé dans une nouvelle embuscade viet-cong ». Ni l'Estrémadurien ni le directeur épico-impérial n'ont remarqué le double sens de mon choix.

Premières escarmouches

J'ai déjà dit que je ne peux disposer du journal, ni même de ma colonne, comme s'ils m'appartenaient. J'estimais peu efficaces les tentatives elliptiques de montrer du doigt le général de Gaulle. Mais, de temps en temps, je lui adressais quelque avertissement, indirect en somme : « Le général de Gaulle sait bien qui est Rothschild... » D'abord j'ai voulu mettre « sait bien » en italique, mais j'ai pensé que cela pourrait attirer des soupçons alors que ce que j'avais mis suffisait pour que de Gaulle comprenne, si jamais il lisait l'article. Mais rien ne m'a permis de penser que ça s'était passé comme ça. Pas la moindre ligne dans la presse gaulliste, ni la moindre note de l'ambassade, ni même deux mots de M. André Malraux... Je suis donc revenu à la charge avec un autre article : « Le général de Gaulle, directement intéressé à la bonne marche de la banque Rothschild... ainsi qu'à la bonne marche de toutes les affaires françaises naturellement... » Mais le censeur m'a fait un malheur et il n'est resté que : « Le général de Gaulle, intéressé à la bonne marche de toutes les affaires françaises. » Par chance, le rédacteur en chef n'était pas dans sa guérite quand le gars de la censure est revenu, et j'ai pu dissimuler l'affaire. Convaincu que le journal n'était pas le meilleur moyen de mener à bien ma campagne, j'ai alors pensé à la presse clandestine. Et si j'envoyais une lettre anonyme au directeur de *Mundo Obrero* lui proposant une accusation directe contre de Gaulle à publier dans la revue ? J'écrivis au directeur, en lui joignant un texte potentiel : « Charles de Gaulle, général français, président de la République française, je sais des choses sur toi que personne ne connaît... je sais... le nom de Rothschild, ça te dit quelque chose ? » J'envoyai le texte au siège du Parti communiste français avec une note sur l'enveloppe qui disait : « A l'attention de M. le Secrétaire général du PC espagnol en exil ». Vous avez reçu une réponse ? Moi non plus. En fait, ce n'était pas non plus le meilleur moyen de lancer mon « J'accuse » contre de Gaulle... Je compris alors qu'il ne me restait qu'une solution : la correspondance...

La solitude du coureur de fond

D'abord, je lui ai envoyé une brève missive : « De Gaulle. Tu ne t'es pas senti visé par mes attaques publiées dans un journal espagnol très important. Je t'accuse. Tu défends les intérêts du banquier Rothschild et de puissants groupes de pression financiers... » Personne ne répondit à ma lettre. J'étais angoissé, j'avais besoin de divulguer mon secret... Un jour, désespéré, je décidai de me confesser. J'entrai dans une petite chapelle romane des Pyrénées, bien tranquille, pour ne pas être reconnu. Là, un curé hémiplégique, moitié catalan, moitié français, m'insulta sans ménagements, me traitant de voyou. Je ne bronchai pas. Je lui parlai longuement de déontologie et lui demandai s'il avait lu les œuvres du père Royo Marín, que nous avait conseillées avec tant de dévotion le père Avelino dans ses cours de déontologie de l'École officielle de journalisme de Madrid. Le curé, en dépit de son hémiplégie et de sa vieillesse, recula avec agilité et empoigna un candélabre tout en hurlant : « A moi ! Au secours ! *Ajudeu-me !* Núria ! Núria ! » La nièce du curé sortit, et à me voir aux prises avec son oncle, elle joignit ses cris aux siens. J'avançai jusqu'au maître-autel et fis face avec détermination à son ignorance. Je lui dis :

« Toi à qui la Providence a recommandé la défense du bien, tu es entré dans la morale de l'obligation. Qu'est-ce qui te trouble ? N'es-tu pas beaucoup plus libre que moi ? Ici, dans la solitude des sommets, sans plus de salissure que la mousse des rochers, l'air, le passé et le futur limpides. Pourquoi n'acceptes-tu pas ma dénonciation ? »

J'attrapai le vieillard par le coude et, malgré les coups de griffe de la nièce, je le traînai jusqu'à la porte et lui montrai le magnifique panorama qui s'offrait à lui. La naissance d'une rivière scintillait au milieu des pâturages et des bordures ocre des chemins, faites de pierres ferrugineuses.

« Vois quel spectacle merveilleux. La liberté de la nature limpide. En revanche, l'air de Paris, de Washington, empeste la corruption, et toi tu te livres confortablement au refuge de ces sommets, sans même essayer d'étendre leur pureté à tout le globe... »

Fatiguée de crier, la nièce s'élança en courant en bas de la montagne : *« Auxili! Ajudeu-me ! Un boig vol matar al meu tiet ! Antoni..., ajuda'm ! Un boig... »* Le curé avait fermé les yeux et je remarquai que sa chair molle flottait plus qu'au début autour de ses os. Je le lâchai et il tomba assis par terre, les mains jointes en position de prière. Je le regardai avec mépris et redescendis la montagne par un petit chemin différent de celui qu'avait pris la nièce. Pendant un moment, j'entendis ses cris, étouffés par les hauteurs de pierre.

Apparaissent l'amour et la solidarité

Inutile de dire que mon journal n'a pas publié la dépêche d'agence, rédigée peu fidèlement, ainsi : « Le curé de la paroisse de... a été agressé par un inconnu aux facultés mentales apparemment perturbées. L'intervention propice de la Garde civile, avertie par la nièce du vieux curé, a mis en fuite le dément. Les habitants du lieu ont établi un tour de garde pour protéger le curé d'une nouvelle agression éventuelle. La Garde civile patrouille dans la région et a arrêté quelques vagabonds qui n'ont pas été identifiés par le curé. La nièce reçoit actuellement toutes les félicitations des autorités départementales et provinciales. L'Association des dames de l'Action catholique pense proposer sa participation à l'émission télévisée *Reine d'un jour.* » Je ne leur en voulus pas mais je compris la leçon. J'écrivis donc de nouveau à de Gaulle : « Ton silence ne te sauvera pas d'une condamnation publique. Il reste encore des hommes honnêtes, non aliénés par l'acquisition des appareils électroménagers, par votre politique de crédit, génératrice de paradis terrestres artificiels... Votre politique... La tienne et celle de Rothschild. » Mais, sans vouloir le reconnaître, je sentais la nécessité d'extérioriser ma préoccupation. Ça m'a coûté très cher de trouver les oreilles adéquates. Je dus fréquenter les cafés les plus importants de la ville, louer les services de prostituées de luxe, qui, invariablement, me réclamaient des crevettes à la sauce verte pour le dîner et voulaient assister à une première de film. Seule une de ces filles me comprit. Ça avait bien commencé. Elle avait mis un doigt sur mon nombril et avait susurré d'une voix discrète de soprano : « Il est superbe. » Un quart d'heure plus tard, elle était déjà au courant de mon tourment et garda le silence, mais pas ce silence stupide avec lequel on accueille habituellement mes révélations. C'était un silence méditatif, dévot. De temps en temps, elle me regardait avec intérêt, m'évaluant, comme si elle pensait : « Qu'est-ce qu'il est intelligent ! C'est un saint laïque comme les aimait Camus ! » Devinant ses pensées, je dis, tout en quittant mon tricot de corps : « Je suis dingue de Camus. » Elle sourit tout en dégrafant son soutien-gorge, et déclara : « C'est naturel. » Je compris alors qu'elle aurait pu être la femme de ma vie, n'eût été ma vocation antigaulliste. Une heure après, pendant qu'elle crevait l'ovaire d'une langoustine, elle me fit part de ses déductions : « Tes lettres ne doivent pas parvenir à de Gaulle. Elles doivent rester dans un sous-secrétariat de quelque secrétariat d'un secrétariat... enfin, tu vois ce que je veux dire... Et si tu demandais une audience et les lui remettais personnellement ? » L'émotion me fit renverser mon verre. Mais, immédiatement, l'évidence de l'impossibilité de mon voyage m'abattit. Maria Luisa écouta les motifs qui m'empêchaient de me rendre à Paris et se mordit les lèvres, contrariée. Soudain, son œil droit s'illumina pendant que le gauche se fermait nerveusement : « Ça y est ! j'y vais, moi ! Je demanderai l'audience et je remettrai ton accusation à de Gaulle ! »

Requiem pour une femme

Nous passâmes des moments très heureux à mettre la dernière main aux préparatifs du voyage, dont la rédaction d'une longue lettre à de Gaulle que je transcris partiellement :

« Pendant des siècles, beaucoup d'hommes sont morts pour la démocratie. L'État libéral a eu recours à une forme de défense directe contre le peuple : il est devenu fasciste. Mais, maintenant, vous avez inventé une nouvelle formule. L'apparence démocratique de l'État et le savoir-faire oligarchique. La liberté démocratique n'est pas un moule idéal pour cette supercherie, c'est pourquoi on invente des régimes présidentiels comme le tien, mythico-providentiels... »

Maria Luisa rajouta même quelques virgules et lut des paragraphes entiers en soutien-gorge, un plaisir que le marquis de Sade lui-même ne sut pas se permettre. A la fin, j'étais assez satisfait de la rédaction et je remis cinquante mille pésètes à Maria Luisa pour ses frais de voyage et de représentation... Je l'accompagnai à l'aéroport et je peux dire que j'ai vécu là les moments les plus beaux de ma vie. Troublé, je parvins à dire :

« Quand tu reviendras, si on a réussi à renverser de Gaulle... on se mariera... »

Ses cils joliment postiches papillonnèrent, et elle déclara :

« Dommage que je ne t'aie pas connu avant. Je ne serais pas ce que je suis.

– Qu'es-tu, ma bien-aimée ? Tu es mon émissaire auprès du général de Gaulle. Rien de plus et rien de moins... »

Elle agita de nouveau les cils et me donna un baiser humide sur les lèvres. Je la vis se rapprocher de l'avion. Elle se retourna une dernière fois et agita la main. Pendant que l'avion s'envolait pour la France, je me dirigeai vers la sortie de l'aéroport avec un sentiment de satisfaction totale. J'étais loin de penser que le plus dur de la crise était encore à venir.

J'accuse

Maria Luisa ne revint pas. Je ne l'ai plus jamais revue. Son corps repose sans doute dans quelque cul-de-basse-fosse, aux environs de la Santé. Les terribles *barbouzes* * ont dû la tuer, qui sait si ce n'est pas sur ordre exprès de... de qui... ? je ne citerai pas de noms. Un mois après son départ, je dus me rendre à l'évidence. Maria Luisa avait été éliminée. Je demandai une avance sur mes vacances et, en plein mois d'avril, me cachai dans une petite ville manufacturière du littoral, encore peu envahie par les touristes. C'est là que j'écrivis mon opuscule : *Contre de Gaulle et les formes occultes du pouvoir.* Je demandai à Julián Marías d'écrire le prologue, prétextant qu'un jour j'avais rencontré Ortega y Gasset dans un ferry-boat sur le Tage. Il ne me répondit pas. Je savais, au fond, que mon prétexte ne tenait pas debout. Alors, sans attendre davantage, j'en commandai, signés de ma main, cinquante exemplaires à un établissement de polycopie. Quand j'eus les exemplaires, je dressai une liste exhaustive des personnalités à qui les envoyer. Je sentais un plaisir morbide à les contempler, empilés, réels, occupant leur espace, présentables où que ce soit. Je relisais fréquemment le paragraphe que j'avais consacré à l'héroïque Maria-Luisa : « Une fille extraordinaire, faite pour l'amour et le bonheur, amenée au bord de la prostitution – tragique conséquence de la loi de l'offre et de la demande –, qui

* En français dans le texte *(N.d.T.)*.

voulut se racheter et conquérir mon amour en remettant mes dénonciations et mes preuves au général de Gaulle. Elle n'a pas reparu. Dans quel bourbier de France ses restes torturés sont-ils en train de pourrir ? Maria Luisa, la lumière du monde, allumée par ma vérité, allait être pour toi... A la place, tu n'auras eu que l'obscurité sidérale de l'irrationnel, de la mort absolue imposée par le despote, absolue parce qu'elle n'accorde aucune place à la dignité... »

Avant d'envoyer mon opuscule aux autorités de l'univers, je le montrai à quelques amis d'enfance, dont un camarade de classe qui m'aime beaucoup. Mais je n'ai pas apprécié sa réaction. Il se mit à rire comme un possédé. Ensuite, il s'excusa devant ma juste indignation. Il allégua que la transcendance du sujet lui avait provoqué une sorte de crise de nerfs. Ce que je compris tout à fait.

Finalement, je me décidai et commençai à envoyer mon opuscule. Le jour même où je l'envoyai au secrétaire général de l'ONU, au pape et à Franco, je le remis au prote du journal pour qu'il l'envoie à la composition. Je m'arrangeai pour qu'il ne passe pas par la censure et, cette nuit-là, je décidai de ne pas me coucher pour en attendre l'édition. La première réaction fut celle du correcteur d'épreuves. Il monta pour me consulter sur une possible confusion de textes. Je lui dis qu'il s'agissait d'un concours de passe-temps et il reconnut que la chose était très amusante. A quatre heures et demie du matin, je descendis à l'atelier, et il était là, en évidence, avec un titre peu voyant pour ne pas trop attirer l'attention de l'assembleur, mais qui disait bien ce qu'il voulait dire : « J'accuse le général de Gaulle. »

Toujours sur la brèche

Le lendemain, je fus aimablement invité à me présenter à la police, où je fus très content de pouvoir entrer en contact avec l'attaché culturel de l'ambassade de France. Devant lui, je justifiai mon article. Ainsi que devant un cortège de médecins espagnols et étrangers qui essayèrent de me tendre une série de pièges psychiatriques. Je leur dis à tous la même chose : « Si vous ne croyez pas au mal mais seulement à la maladie, analysez des hommes comme de Gaulle. » Je dus subir d'autres interrogatoires policiers. Le directeur du journal et le secrétaire chargé des relations avec la presse me convoquèrent à plusieurs reprises. Je pensais que mon cas méritait un traitement pour le moins ministériel, mais ça ne s'est pas passé comme ça, et pourtant j'ai essayé de faire appel à quelques influences. Il y a trois ou quatre jours, j'ai reçu une aimable lettre de l'entreprise, m'informant que l'on m'octroyait une période de repos exceptionnel de deux mois, comme congé pour convenance personnelle, sans solde, mais avec la possibilité de reprendre mon poste. Elle mentionnait des choses que j'avais faites pour l'entreprise et pour la nation avant l'arrivée de De Gaulle au pouvoir et avant que j'aie lu *Mariage et Morale* de Bertrand Russell. Mais je ne sais pas quoi faire. Je continue de venir chaque nuit à la rédaction du journal, je veux continuer à exercer cette profession, la plus belle de toutes. Il n'y a rien qui puisse se comparer à l'émotion que l'on ressent à voir venir au monde les mots imprécis du télex, rien qui puisse égaler non plus l'émotion de l'information à chaud, la frénésie des nuits d'événements exceptionnels, les palpitations du monde à chaque minute, là, dans mon cerveau, là, dans mes mains pendant que la ville rêve son histoire nocturne.

De plus, ce serait concéder une trêve à de Gaulle et oublier que la cause n'appartient plus à moi seul. Le souvenir de Maria Luisa m'incite à continuer la lutte. Je vais écrire de nouveau à de Gaulle. Je n'accepterai pas ce congé.

1965

La vie parisienne

Je n'ai pas toujours cru que tel serait le paysage définitif de ma vie. Comme tous les hommes de ma génération, je suis venu au monde à une époque tout à fait romantique, quand, croyait-on, tout était possible : possibles les marins sur la mer et les îles, possibles les idéaux et une riche gamme d'absolus. C'est du moins ce que disaient les manuels scolaires, les chansons et les émissions de radio, lorsque la télévision n'était pas encore à la portée des Espagnols. Il ne m'a pas été bien difficile de renoncer au voyage et à la surprise. La vie renferme une inertie sournoise qu'alimentent d'impitoyables ravages, décevants par certains côtés, séduisants par d'autres. Moi aussi, je me suis insurgé devant ce paysage, devant tous les paysages. Dans mon adolescence, ces tuiles grises, ces pieux gris, ces moisissures entre les grès des cheminées, les draps claquant au vent, les bras dodus des femmes mettant le linge à sécher alimentaient ma nausée, mon aspiration à la fuite. Pourtant, aujourd'hui, ce paysage m'apaise, alors qu'appuyé au rebord de la fenêtre je regarde le soir tomber et que de la rue étroite s'élève un optimisme estival et confus, un brouhaha de voitures mêlé d'éclats de voix se bousculant sur les balcons ensoleillés, où des hommes en maillot de corps et des femmes molles et humides prennent le frais. Je vais de la fenêtre au balcon et je me revois tourner le coin de la rue, prêt pour la conquête quotidienne de la sagesse et de l'inconnu : d'abord, le bac ; ensuite, trois années d'université. Mais un jour, j'ai dû revenir pour toujours, et j'ai su alors – ou je savais déjà – que, passé le coin de la rue, ne m'attendait qu'un bref voyage d'aller et de retour. Depuis, ça s'est toujours passé comme ça. Je pourrais me résumer en disant que j'ai évité un probable destin d'ouvrier bureaucrate de deuxième catégorie qui nourrissait l'espoir d'être un jour un professionnel de la culture pour, au bout du compte, me retrouver bureaucrate de première catégorie, dans une maison d'édition spécialisée dans la production de dictionnaires spécialisés. Et de ce bref voyage, c'est à peine s'il me reste quelques menues choses : une habitude d'acheter des livres que je ne termine jamais et que, dans certains cas, je ne regarde même pas ; quelques participations à des événements culturels d'une avant-garde de moins en moins rigoureuse ; un certain goût pour un cinéma et un théâtre de qualité que je ne sais déjà plus analyser ; et, là oui, véritablement importantes, ma correspondance et ma relation avec Helena.

Helena, à seize ans, était déjà allée à Fès et à Reykjavik. Comme dans un roman de Vicky Baum ou de Lajos Zilahy, son père était un important homme d'affaires, veuf, qui emmenait sa fille unique partout avec lui. A seize ans, Helena parlait correctement l'anglais, le français, l'italien et l'allemand, et se préparait à étudier le russe, langue de l'avenir par excellence, ce qui me mit sur le chemin de la compréhension idéologique d'Helena. Helena voulait que son prénom s'écrive avec un H, et quand je lui ai dit que *Lavorare Stanca* m'avait plu, elle a compris que l'indigène que j'étais lui offrait un terrain inépuisable d'investigations socioculturelles.

Tout d'abord, nous avons arpenté les couloirs de l'université et sommes assez rapidement convenus que nous avions des qualités différenciatrices et un droit évident à l'excellence. Helena était blanche et svelte, et ses mains embellissaient continuellement ses idées. Nous avons partagé des lectures et des silences et, plus tard, la séparation d'un été. A la rentrée suivante, nous nous sommes embrassés pour la première fois. Quelques mois plus tard, nous nous sommes avoué que nos exercices répétés pouvaient parfaitement nous définir comme des amants. Je me suis souvent reproché de ne pas avoir eu le courage d'essayer de proclamer nos fiançailles, mais, pour les gens de ma condition sociale, les fiançailles étaient une lente et chaste expérience d'économie, une expérience normative à laquelle Helena ne se serait jamais adaptée, et qu'en vertu de principes essentiellement esthétiques je ne devais même pas lui proposer. C'est dire que des fiançailles étaient objectivement impossibles, à moins d'un terrible effort de volonté auquel mon éducation ne m'avait pas habitué. Car, dans la lente éducation de l'animal mondain, le prix de l'effort et de l'expérience provoque une peur atroce des échecs concrets et, plus tard, de l'« échec » comme entité presque métaphysique, enveloppante, infernale. Il se crée une déformation de la volonté qui s'obstine, tel un cheval de trait, à l'accomplissement d'une tâche concrète ; tout le reste, il vaut mieux ne pas le voir, il vaudrait même mieux une castration totale pour éviter de possibles déceptions. Et pourtant, Helena était mon voyage et mon espoir. Jamais aucun animal n'a été si productif. Elle me laissait des livres et des mots, son corps blanc et l'atmosphère patriotique dont une femme peut entourer un homme. Elle m'apportait aussi le plaisir du doute et de la crise, expériences poétisables, et j'en profite pour avouer que je suis allé jusqu'à écrire des poèmes, dont certains ne sont pas trop mauvais, que la revue *Les Papiers de Son Armadans* a même été à deux doigts de publier, grâce à l'intervention d'un poète nommé Goytisolo, qu'Helena m'avait présenté comme étant un bon ami de sa famille et d'elle-même.

Helena était due au destin qui fut le sien. Sa deuxième année terminée, elle partit pour Paris où elle s'inscrivit à la Sorbonne. Nous échangions une correspondance suivie et nous avons pu faire l'amour au moment des vacances de Pâques. Mais Helena, à dix-huit ans, avait déjà mis Paris dans sa poche. Elle était devenue l'amie d'un célèbre avocat, connu comme défenseur des dirigeants du FLN algérien, et, à travers lui, elle avait pu entrer dans un important cercle culturel : Sadoul, la femme de Gérard Philipe, Yves Montand, Simone de Beauvoir, Gisèle Halimi... étaient des noms qui apparaissaient fréquemment dans la conversation, des relations, parfois même des amis : Gisèle... Yves... Simone... Françoise (Sagan)... Un jour, elle parla même d'un certain Henri qui s'avéra être Henri Lefebvre. Simultanément, il se faisait de plus en plus évident que mes ambitions universitaires n'avaient ni raisons d'être ni possibilités d'aboutir. Ma pensée s'était formée dans un milieu réaliste et concret. Elle n'était pas préparée aux abstractions ni aux subtilités du « faire semblant » kantien, au langage abstrait. Les associations scientifiques me dépassaient et exigeaient de moi un effort que ma volonté refusait. J'en savais assez pour ne pas être un bureaucrate de deuxième catégorie. J'étais jeune, et, lorsqu'on est jeune, les justifications se bousculent avec un empressement émouvant pour venir en aide aux traumatismes de chacun. C'est donc triomphant et méprisant que j'abandonnai l'université.

Helena décréta que je valais beaucoup mieux que mon premier job : adapter de A à M un dictionnaire italien de poche. De N à Z, s'en chargeait un excellent garçon, déjà diplômé, qui a aujourd'hui obtenu sa titularisation dans un lycée. Moi aussi je me considérais comme supérieur au travail que je faisais. Helena ne revint jamais vivre en Espagne. Elle m'écrivit pour me faire part de son mariage avec l'avocat et glissa dans l'enveloppe un discret poème évoquant nos anciennes amours. Le mariage d'Helena me provoqua une douleur réconfortante que je réussis à prolonger le plus possible. Mais Helena empêcha qu'elle ne durât trop.

Un an après ses noces, elle me téléphona et nous nous donnâmes rendez-vous dans un de nos anciens bars. A cette époque, j'avais déjà obtenu de bons résultats professionnels. Je connaissais parfaitement les mécanismes de l'édition et mes supérieurs me confiaient chaque jour un peu plus de responsabilités, comme par exemple vérifier le processus d'impression dans les ateliers ou même évaluer les capacités de certains collaborateurs. Je racontai tout cela à Helena, avec, toutefois une certaine imprécision et une distance ironique, car je sentais qu'il n'était pas de bon ton de se vanter d'expériences en apparence si médiocres. En revanche, Helena m'offrit un fascinant résumé d'un an de vie parisienne. Les pourparlers d'Évian venaient de s'ouvrir, et son mari était très occupé. Les associations de gauche (Helena appartenait à presque toutes) se démenaient. Après deux heures de conversation, je pensais que tout était perdu, quand Helena m'embrassa soudain. Nous nous retrouvâmes dans le lit de toujours, et je peux presque dire que nous revint la chaleur d'antan, la plénitude d'autrefois. En regardant Helena, je tentai, non sans une certaine ingénuité, de deviner sur elle les marques du mariage. Je ne réussis à remarquer – et encore n'en suis-je même pas sûr – qu'une plus grande désinvolture dans sa façon de se dévêtir.

Environ un an après, Helena revint. Elle resta une semaine en ville et m'appela trois jours avant son départ. Nous refîmes l'amour et je la raccompagnai à l'aéroport, persuadé que nous avions établi une routine qui se perpétuerait dans les années à venir. La périodicité ne fut pas rigoureuse. Helena revint par la suite jusqu'à deux ou trois fois par an, et chaque fois nous essayions de reprendre notre dialogue à l'endroit où nous l'avions laissé. Toutefois, par un accord tacite, nous décidions presque toujours que c'était elle qui devait parler, me parler de l'Europe, me livrer la chronique d'un monde inaccessible. C'est ainsi que, dans la pénombre de la chambre où trônait invariablement au mur la photo de groupe d'une promotion de professeurs de commerce et où se fanaient des iris blancs dans une eau opacifiée par l'aspirine, Helena créait, comme par magie, un carrousel culturel anglo-franco-italien, en me racontant par exemple une délicieuse anecdote dont les personnages n'étaient autres que Heinrich Böll et son mari.

« Vous, les marxistes, vous lisez de moins en moins Marx », avait dit Böll.

Et le mari d'Helena de répondre :

« Et vous, les catholiques de gauche, vous êtes de moins en moins de gauche et de plus en plus catholiques, ou l'inverse. »

Helena estimait que son mari s'embourgeoisait.

« En France, c'est presque fatal, il existe une prospérité communiste enveloppante. Là-bas, tout le monde regarde l'Espagne avec espoir. Ici, tout est à faire. »

Plus tard, Helena lia des amitiés fascinantes qui défilaient dans la pénombre comme sur la piste d'un cirque : un philosophe nord-vietnamien, expert en phénoménologie, un chanteur napolitain qui chantait de pétillantes chansons en dialecte, John Osborne, Juan Marinello, Rafael Alberti, Louis Aragon, Elsa Triolet... Alain Robbe-Grillet... Helena parlait d'eux en toute simplicité, comme de fréquentations quotidiennes et banales. Elle était tellement imbue de cette normalité qu'en certaines occasions je trouvais irritant de devoir comprendre quand elle disait « Michel », qu'il s'agissait à l'évidence de Michel Butor. Quant à moi, je parlais de moins en moins.

Quand mes parents moururent brutalement, Helena m'envoya un très joli mot que j'ai conservé. Un mois plus tard, elle m'attendait, très triste, dans la cafétéria habituelle, et cette fois-là nous ne fîmes pas l'amour, bien que dans notre for intérieur nous l'eûmes peut-être désiré. J'avais déjà presque trente ans et j'étais chef de fabrication de la maison d'édition. Pour donner une idée de mon aisance, j'étais, déjà, par exemple, en condition de m'acheter une voiture à crédit, de me permettre de luxueux repas à soixante-dix ou quatre-vingts pésètes au restaurant, tout en dépensant un maximum en goûters et en petits déjeuners. J'avais d'ailleurs un peu grossi. Quand je présumais qu'Helena n'allait pas tarder à arriver, je m'astreignais à un régime strict pour offrir de moi une image présentable. Ce qui ne l'empêcha pas, il y a trois ans, de déclarer, après m'avoir observé pendant que je m'habillais :

« C'est curieux... tu es en train de changer physiquement. Alain aussi. »

Alain, dans ce cas-là, était Alain Resnais. J'en fus très préoccupé et je dois dire que, depuis, je suis un léger régime, plus ou moins constant, qui m'a donné d'excellents résultats.

Les relations entre Helena et son mari se sont tendues peu à peu tout au long de ces dix années de mariage. Il y a deux ans, elle me fit part de ses projets de divorce. J'en fus bien contrarié et essayai de l'en dissuader. Ingénument, je croyais qu'une harmonie s'était établie dans le triangle annuel que nous formions, elle, son mari et moi, comme si tout était déjà installé, normalisé. Le divorce d'Helena signifiait un changement de situation, un nouvel équilibre, inconnu et inquiétant.

« Je ne sais si je dois revenir en Espagne... Au fond, je me suis toujours sentie seule à Paris ... Tu crois que je trouverais du travail ici, quelque chose à faire... ?

– C'est impossible. »

Je le dis avec trop de précipitation. Il m'était venu à

l'esprit l'image alarmante d'une vie très différente, avec une Helena quotidienne ou, en tout cas, habitant la même ville.

« Si tu reviens, je me retrouve sans correspondante à Paris. »

Elle ne me trouva pas drôle.

La vérité, c'est qu'elle n'est jamais revenue.

Voilà deux ans que je ne la vois plus. Elle m'a envoyé quelques lettres, peu, des cartes postales plutôt. La dernière de Gênes, juste avant de partir en croisière dans les îles grecques en compagnie de son père :

« Georges et moi avons décidé de nous séparer. Je pars en croisière pour me reposer un peu. Nathalie me l'a suggéré... »

J'ai passé plusieurs jours avant de décider que « Nathalie » était Nathalie Delon. Ensuite, j'ai reçu deux ou trois cartes postales de Corfou, d'Athènes, du Caire... Et il y a sept mois, une lettre :

« Je t'ai souvent parlé de lui. C'est un des plus brillants disciples et assistants de Lucien Goldman... »

J'ai acheté un poste de télévision, réduisant ainsi mes sorties au minimum. A mon âge, j'ai découvert les avantages d'une vie sexuelle mercantilisée. Je paie très peu pour la location de ce vieil appartement que m'ont laissé mes parents, ce qui me permet des dépenses superflues et même d'épargner. Je pense m'acheter dans quatre ou cinq ans un appartement sur la Costa Brava et j'ai déjà une voiture que je peux voir de mon balcon, stationnée au coin de la rue, là où j'avais l'habitude de disparaître après avoir répondu au salut de mon père ou de ma mère. Deux fois par semaine, une voisine vient faire le ménage, et je me sens de mieux en mieux entre ces murs inégaux, où est restée gravée une saga mélodramatique.

Je me suis abonné à deux revues françaises et je traque les amis d'Helena. Parfois, je prolonge mon voyage au-delà du coin de la rue et je pousse jusqu'au quartier résidentiel où elle vivait. Je passe lentement devant la grille, mon regard s'arrête sur les feuilles se détachant des acacias de son jardin. Il y a quelques mois, je fus sur le point de louer un appartement tout près de l'ancienne maison d'Helena. Mais, après avoir fait mes comptes, j'ai préféré destiner ce que j'aurais dû verser comme garantie à l'achat comptant d'un téléviseur. Ce qui m'a donné droit à vingt pour cent de réduction.

Helena ne reviendra pas. Et en admettant qu'elle revienne, plus jamais nous n'entrerons dans la chambre aux lis fanés. J'en suis convaincu. Et c'est comme si, à trente ans bien sonnés, j'étais gagné par l'hystérie mélancolique de la ménopause et par la conscience de mon inéluctable solitude. J'ai songé à m'inscrire à un club de tennis. Je ne parle pas d'un club très huppé. Non, quelque chose de populaire et tranquille, hors des quartiers chics de la ville.

La vérité, c'est que je m'identifie chaque jour un peu plus au paysage carré de cette fenêtre, à l'éphémère liberté que j'éprouve en sortant sur le balcon. Même si, parfois, la sonnerie du téléphone me chavire le cœur même si la vue continuelle de ce coin de rue me rive l'angoisse aux yeux, comme un crochet.

1966

D'une aiguille à un éléphant

Tout a commencé quand j'ai voulu m'acheter un rasoir électrique, ou plutôt quand je suis entré dans cette foire exposition. Au rayon de l'électronique était exposé un ordinateur, et, abîmé dans la contemplation de la longue langue blanche qui sortait de la gueule du monstre, je n'ai pas remarqué que quelqu'un me tendait un prospectus de publicité. La même firme qui exposait l'ordinateur vantait les mérites d'un rasoir électrique de sa fabrication ; une femme, effleurant de ses lèvres le visage d'un homme, les vantait aussi, pendant que, me regardant, elle déclarait : « Rasé avec... quel plaisir de l'embrasser. » Je gardai l'image dans un recoin de ma mémoire et, quelques mois plus tard, alors que j'étais déjà installé dans mon appartement à loyer modéré (quatre pièces, salle de bains, WC, salon-salle à manger, cinquante mille de reprise à déduire chaque mois des deux mille huit cent quatre-vingts de loyer, concierge compris), parmi la foule de choses dont nous avions besoin Juliana et moi, il y avait le rasoir, que nous pouvions partager. C'est ainsi qu'un jour, en passant devant les établissements Millet, où une affiche publicitaire disait « D'une aiguille à un éléphant », je vis dans la vitrine un très joli choix de rasoirs électriques... J'hésitai, car j'hésite toujours. Ce n'est pas le moment d'expliquer pourquoi, d'ailleurs je ne crois pas qu'il y ait une véritable raison à mes hésitations. Quoi qu'il en soit, le poids du slogan « Rasé avec... quel plaisir de l'embrasser » s'imposa à moi, et j'entrai dans le magasin. Je m'étais toujours représenté un bazar comme une image de rêve. Je me souvenais d'un film que j'avais vu quand j'étais petit, *Le Bazar des surprises,* et des images cinématographiques et polychromiques de bazars orientaux me venaient à l'esprit. Le bazar Millet était d'envergure européenne, un lien solide et audacieux entre tradition et révolution, pleinement réconfortant. Colonnes et stucs liberty, meubles nordiques et fonctionnels, un bateau à moteur et une grande affiche avec des baigneuses faisant du ski nautique, des Cocottes-Minute, des christs porte-stylos, des rideaux en tissu, des rideaux en tergal, des fusils de chasse. Au fond, entre des piliers métalliques, se trouvaient les cahiers, le papier à lettres et le papier-monnaie. Un bureaucrate avec un œil de verre me jeta un regard insolent et d'un geste de la tête, me confia à la sollicitude d'un homme à l'allure athlétique et importante, et au nez écrasé comme celui d'un boxeur.

« Votre nom ? »

Je le lui donnai spontanément, sans m'étonner du côté insolite de la méthode.

« Bien, monsieur Millares, je suis M. Montesinos ; à partir de maintenant, votre guide et serviteur. »

Montesinos me serra la main sans me faire de mal, contrairement à ce que je craignais. Il me poussa aimablement vers une pièce vitrée et renversa sur une table des centaines de catalogues.

« Vous voulez un bateau à moteur ? Un yacht peut-être ? »

Je regrettai soudain de ne pas avoir demandé à Juliana de mieux repasser mon pantalon pour être à la hauteur de l'offre de Montesinos, et j'essayai de me souvenir si je m'étais coiffé convenablement. Montesinos me colla sous les yeux un charmant prospectus de Portofino : l'Aga Khan, d'une majesté sereine, pilotait un bateau de fabrication allemande, équipé d'une cuisinière à gaz, d'un tourne-disque, de lits à vibration électronique pour exciter les défaillants sexuels et d'une salle de bains rose décorée d'une mosaïque de Chagall et d'un autographe du général de Gaulle. Je repoussai l'offre avec un sourire universitaire d'homme de culture qui connaît les pièges de l'idéologie dominante néo-capitaliste et ne saurait « fouiller dans la boue de la social-démocratie ». Mais Montesinos, le visage tout à coup déformé par une grimace sinistre, ouvrit une petite porte par laquelle se glissa une femme nue. Sur l'estomac, elle portait un tatouage représentant le bateau de Karim. Je sentis entre mes doigts la consistance d'un stylo et Montesinos poussa vers moi une cinquantaine de traites. J'en signai deux ou trois et tentai de dire quelque chose, mais la fille s'assit sur mes genoux et accompagna ma main pour que je paraphe les autres. Je signai et elle m'embrassa avec la froideur aseptisée d'une infirmière spécialisée en microbiologie. Quand je me rendis compte que le besoin que j'avais d'un rasoir était aussi fort que celui de coucher avec la fille, celle-ci avait disparu par la petite porte. Montesinos, m'attrapant par le bras, me colla devant un téléviseur, au moment même où Amancio marquait le deuxième but de la sélection espagnole contre la Tchécoslovaquie. Montesinos et moi, criant et trépignant, laissâmes exploser notre joie, et je signai les traites du téléviseur tout en pensant au rasoir électrique. Avant même que Montesinos ne reprît l'initiative, je lui racontai toute l'histoire ; il s'en fut quelques instants, mais ne me laissa pas seul. Il se fit remplacer par un poète, dont l'idéologie me fascina immédiatement :

Qu'a-t-on fait de Chevalier
Et de John Fitzgerald Kennedy ?
Mort et désolation,
Condamnation humaine est la vie,
Rien...

Montesinos revint presque aussitôt avec une poupée métallique dont les yeux lumineux me souriaient, et un barbier électronique qui, en cas de fatigue, pouvait aussi me remplacer dans mes obligations sexuelles avec ma femme. J'étais indigné, mais ne le montrai pas, et pensai tout de suite à la nécessité de me munir d'une cage pour le barbier lorsque je laisserai Juliana seule à la maison. Je commandai la cage, mais Montesinos, toujours souriant, me rassura : en prévision des besoins de l'Espagnol moyen, les Américains avaient fabriqué une urne en plastique pour le barbier. Et, pour plus de sécurité, il me montra le fonctionnement de l'urne. Immédiatement après, j'achetai un bathyscaphe et des babouches. Je n'eus pas le courage de refuser l'offre d'un lot composé d'un chat persan, d'une caisse de boîtes d'asperges et d'un abonnement à *Paris-Hollywood.*

Montesinos arrêta un instant ses activités et demeura silencieux. Je me tus moi aussi, embrassant du regard tout ce que j'avais acheté. Jusque-là, à part l'appartement à loyer modéré, je n'étais propriétaire que de quelques meubles, de quelques livres (la plupart interdits par la censure) et d'un douro d'argent à l'effigie d'Alphonse XII, roi préhistorique d'Espagne, héritage de ma grand-mère maternelle, que Dieu ait son âme. Montesinos prit la parole :

« J'ai une affaire pour vous. Vous êtes l'homme idéal pour ce produit et vous en avez besoin. »

Il me fit asseoir gentiment sur une chaise et les lumières s'éteignirent. Sur un écran imprévu apparurent soudain les images d'un safari. Une belle Anglaise arrive en Afrique à la recherche de son mari, un médecin prisonnier qui a été dévoré lors d'un Conseil des ministres congolais. Le Conseil des ministres veut violer l'Anglaise, qui se retrouve à moitié nue dans la jungle. Quand le Premier ministre est sur le point de procréer un mulâtre, apparaît un éléphant vêtu d'une petite jupe aux couleurs du drapeau américain, qui tue les Congolais à coups de pied et à coups de trompe. Fin. Les lumières se rallument et, oh, merveille ! un éléphant en chair et en os se trouve devant moi.

« Il est à vous ! » s'écrie Montesinos, enthousiasmé.

Quelque chose de plus fort que mon éducation et ma castration culturelle s'éveilla en moi, et je me levai, indigné. Le pire, c'est que je haussai la voix et que Montesinos commença à me frapper à coups de poing et à crier lui aussi. Les bureaucrates arrivèrent à la rescousse, pénétrèrent dans la cabine en cassant les vitres et me frappèrent à coups de nerf de bœuf. L'un d'eux me mit les doigts dans une prise électrique.

Je signai les traites et ils me plongèrent dans un énorme lave-linge. Tout se remplit d'eau, puis un pouvoir occulte me secoua comme un panier à salade. Un air chaud me sécha et des petits jets d'alcool soignèrent mes plaies. Un peigne et des baguettes d'aluminium me firent des chatouilles. C'est alors qu'une catapulte me précipita hors de la machine et que je me retrouvai à la sortie, où Montesinos m'attendait pour me faire ses adieux. Il me serra la main et me promit que, dès le 15 du mois, je recevrais mes traites.

Depuis lors, mon histoire est très simple. J'ai dû quitter mon appartement à loyer modéré; Juliana, en vertu de ses principes anticonsommateurs et d'une élémentaire prudence d'ordre alimentaire, m'a abandonné, et je vis à présent dans un taudis de banlieue. L'éléphant en occupe toute la place, et, pour voir la télévision, je dois monter sur son dos. Le bateau à moteur languit dans la rue, où je ne sors jamais. La seule visite que je reçois est celle de l'encaisseur de traites, qui me les passe entre les pattes de derrière de l'éléphant. Et, pour les payer, je dois traduire d'anglais en espagnol des livres sur les écureuils et les fleurs, corriger des épreuves, faire des mises en pages et écrire, de temps en temps, des nouvelles comme celle-ci, pour lesquelles on me paie mal et toujours en retard.

1966

Le garçon au costume gris

Parce qu'il croyait en la morale de l'Histoire et en la moralité de sa propre histoire, le garçon au costume gris demanda à ses parents le rapport de la Banque mondiale sur l'économie espagnole. Le curé donna son accord sur la page soixante et un, et le professeur, tout en ôtant son uniforme, approuva de la tête. Affalé sur son lit, le garçon laissait divaguer ses idées à travers le grillage qui découpait le ciel en carrés. Parfois, un épervier se figeait au milieu des nues, aussi immobile que sur une photo, et l'on devinait une volée de colombes se posant entre les peupliers du Sègre. Depuis quelque temps, il pensait qu'il suffisait d'être marxiste pour être quelqu'un de bien, parce que « être quelqu'un de bien est une identité historique entre sa propre subjectivité et l'objectivité historique ». Le garçon au costume gris dominait mieux le langage économique que le langage philosophique, mais il se défendait très bien dans les polémiques à la bibliothèque, rendant coup de langage abstrait pour coup de langage abstrait, en plein délire de mots qui permettaient de supporter une longue attente.

Peut-être était-ce le froid de novembre ou une étrange

fièvre languissante qui surgissait de la cuvette des waters trônant éternellement dans la pièce, toujours est-il qu'à ses oreilles bourgeonnèrent les fleurs du mal, violacées comme des engelures en formation, et l'on aurait pu croire que c'en était, n'eût été le silence spirituel du garçon plongé dans les livres et découvrant les merveilles des grilles *in put out put.* La réverbération de la neige dans la cour agrandissait l'horizon sans que l'on puisse dire si elle en modifiait la profondeur ou la hauteur. Il s'agissait plutôt d'un poids sur une angoisse viscérale.

Sans arbres pour témoigner du passage des saisons, c'était simplement le froid et la chaleur qui marquaient le passage du temps. Tout était figé, mais on savait que tout ce qui était au-delà poursuivait son évolution, en marge de la capacité de choix de ceux qui étaient à l'intérieur. Le spectacle des choses et des hommes semblait appartenir plus à la mémoire qu'à la réalité ; leur fugacité et leur relativité distillaient en lui un agacement permanent. L'aliénation physique de l'enfermement éloignait les autres aliénations. La routine ou le rituel de la vie normale étaient un désir à l'évidence inavoué.

Quand le garçon revint chez lui, il jeta le costume gris, s'acheta dix disques des Beatles et se laissa pousser les cheveux. On lui offrit une moto avec un side-car, et, les nuits de grande beuverie, il se faisait la course à lui-même, montant et descendant une des rues principales de la ville. « L'important, se disait-il, c'est de laisser la place à sa propre subjectivité, pour que l'objectivité historique ne l'absorbe pas. » Il offrit ses idées à certaines filles blasées et leur posa à toutes comme condition qu'elles s'achètent une Mobylette.

La première fille était maigre comme un clou, et la dureté de ses côtes et des os de ses hanches était comme un avertissement permanent de la fugacité de son abandon.

La deuxième fille portait une cape bleu marine qui flottait derrière elle quand elle allait en moto, ce qui donnait une forte impression d'urgence et, à son arrivée, une sensation rédemptrice.

La troisième fille était comme désarticulée et exprimait très mal ses pensées, réduisant en miettes la fameuse maxime de Boileau : « Ce qui se conçoit bien s'énonce clairement, et les mots pour le dire arrivent aisément. »

La quatrième fille aurait pu fumer avec un fume-cigarette : ses yeux contenaient tout à la fois la dérision et la tristesse du tango ; elle arborait une pose d'affiche liberty, à mi-chemin entre le rotin et le caramel au lait.

Ce furent surtout des contacts furtifs dans l'exercice du droit de réponse à la solitude. Les sourcils obstinément froncés et le sourire à la fois héroïque et distant, le garçon découvrit la liberté du langage libre, stimulé par une quantité variable de gin-tonic et de joints mal fumés. C'étaient des années difficiles pour les religions et les intellectuels, où l'on pressentait Marcuse et assimilait le langage d'André Gorz. Bien qu'aujourd'hui ils ne le reconnaissent pas, ils étaient plus proches de Souslov que de Mao, et très rares étaient ceux qui avaient éprouvé le moindre intérêt pour la « Guerre de guérilla » de Che Guevara, qui apparaissait comme l'excentricité d'un Latino-Américain gommeux et chanteur de tangos. La révolution cubaine était une option esthétique, faite par de beaux gaillards du nom de Fidel ou Camilo ; le Che restait au second plan, avec son tabard militaire, ses moustaches à la Cantinflas et son recueil confus d'anecdotes d'adolescent victorieux.

Muni de ce bagage aussi léger que mythique, le garçon orienta son épopée vers des victoires nées de la confusion. Son épopée civile était une garantie, une toile de fond sur laquelle monter son *show « pour épater le marxiste* * ». Inutile de le préciser : c'était une tentative de contestation à l'espagnole, contradictoire en soi, à cause de la petitesse de la scène et de la précaire disposition d'esprit des acteurs. Une fois de plus, les Espagnols devançaient, par certains côtés, la marche de l'Histoire, avec la complaisance attentive de l'Espagne éternelle, celle qui a toujours su dire « *Basta !* » au bon moment et retourner aux temps bénis de Cro-Magnon.

Le garçon entra dans le monde des professionnels de la culture en pleine répétition générale. L'université venait d'accoucher des premières promotions de professionnels formés à la lecture de Lefebvre, Lukács et Pratolini : économistes, conseillers financiers, apprentis professeurs, rédacteurs de dictionnaires encyclopédiques, vendeurs de réfrigérateurs industriels. La sélection des espèces engendra l'apparition de quelques contremaîtres ayant un pied dans leur propre passé et l'autre dans l'antichambre du réformisme intégrateur. De sa position confortable de spectateur des rares besoins vitaux, le garçon jeta de l'huile sur le feu des fours crématoires où brûlaient les prestiges scolaires. Plus d'un Lénine potentiel périt dans l'incendie, et de leurs cendres jaillit le dernier mot d'esprit du cruel spectateur, cheveux au vent, chevalier du scooter, avec deux demoiselles en croupe, provoquant sur son passage la stupéfaction des

* En français dans le texte *(N.d.T.)*.

gens normaux, indignés qu'on puisse exercer la critique de manière si irresponsable, dans un pays où, jusque-là, on n'avait pas encore inventé le slip pour homme.

Quand il se sentait en confiance, le garçon reconnaissait son incapacité à maintenir un tel rythme poétique *sine die.* Comme dans les romans ou les contes lyriques, l'irresponsabilité rationnelle du langage pouvait se convertir en une assommante litanie de sophiste. De temps en temps, il faut arrêter de rigoler et, même si c'est pure tactique, se frapper la poitrine avec précaution. Le doute de son propre doute n'était pas viable, mais sa feinte l'était. Et, en définitive, la seule maxime valable était celle qui se résumait ainsi : soyez relativiste en tout ce qui ne vous importe pas.

Puis il rencontra une fille portant capeline, un long fume-cigarette entre les doigts, capable de fredonner la dernière chanson à la mode pendant qu'ils dansaient et de l'embrasser sur la bouche au beau milieu d'une conférence d'Umberto Eco. L'amour naquit comme une option totale, et en même temps que sa révélation s'imposa de nouveau la tentation de l'absolu et de l'affirmation. Ils louèrent un grand appartement. Le peignirent en bleu et blanc, l'égayèrent ici et là de quelques fleurs en papier, de perroquets suspendus, de lanternes vénitiennes et de meubles achetés aux enchères dans des villas liberty en démolition. Ils se nourrissaient d'avocats et de steaks tartares, buvaient des infusions d'herbes régionales, particulièrement de thym et de camomille. Leur scepticisme se révélait dans leur décision mutuelle de ne pas avoir d'enfants, et à la place ils achetèrent un poisson japonais noir, un loir et une tortue miniature, qui mourut de soif, étouffée dans une caisse de sciure.

Les matins des jours ouvrables, ils se promenaient sur les Ramblas à la recherche de singes bleus et de perles de portail pour leurs jardinières bleues et blanches. La nuit, ils traduisaient des livres anglais sur l'élevage des canaris, lisaient les écrits de Cohn-Bendit et faisaient l'amour avec une ardeur réservée aux jeux interdits. Quand tout fut presque clarifié, en plein naufrage des manuels, ses amis émigrèrent au Népal, sollicitèrent des bourses américaines ou modifièrent leur philosophie pour justifier leur enthousiasme à porter des chemises blanches brodées à leurs initiales et à utiliser des attachés-cases de cadre supérieur.

Sur son île d'autosuffisance, le garçon élabora sa théorie des doses. L'important, se disait-il, c'est de partir d'une structure initiale : un couple, par exemple. Puis d'y incorporer peu à peu quelques doses de civisme et de cynisme, de responsabilité et de liberté, de plantes médicinales et de Che Guevara, de sexe et de steak tartare.

Et parce qu'ils croyaient en la moralité de l'Histoire et en la moralité de leur propre histoire, ils planifièrent leur prochain été. Ils iraient faire la plonge en Suède, puis végéter au Mexique.

(Ils étaient passionnés par l'artisanat mexicain et, au cas où cela n'aurait pas suffi, ils avaient un disque de Jorge Negrete, s'étaient indignés devant le massacre de la place des Trois-Cultures et voulaient vérifier cette vieille promesse : AU-DELÀ DU COUCHANT, ON LE SAIT DEPUIS DES SIÈCLES, S'ACHÈVE L'HORIZON DE LA MÉDIOCRITÉ. SI TU VIENS DE TERRES MAUDITES, TON OMBRE NE TE SUIVRA PAS ET, SI TU ES SAGE, TU GAGNERAS L'IMMORTALITÉ.)

1968

L'avant-centre mangé au crépuscule

Quand il levait le bras et l'agitait à se le désarticuler, il lui semblait que le tonnerre d'applaudissements n'était rien que pour lui. Ensuite, il sautait d'une jambe sur l'autre, histoire d'attirer l'attention du public sur les ressorts de sa souplesse. Il continuait son cinéma en traversant la pelouse, serrant la main de son rival le plus connu ou donnant une tape protectrice sur l'épaule d'un débutant autochtone, couvé par tous les regards qui descendaient des gradins ; regards qui l'enserraient comme les pinces d'un crabe énorme et fébrile. Ensuite, juste avant le coup de sifflet marquant le début du match, il se signait, imaginant ainsi imposer au public un respect distant pour cette foi profonde capable de se manifester même dans une ambiance aussi insolite. C'est lui qui donnait le coup d'envoi. Il s'arrangeait pour que le ballon roule doucement jusqu'à l'inter droit, un ballon soumis, obéissant au pied qui le poussait. Le ballon glissait calmement, aussi sûr de lui que le couteau dans les mains du boucher, ou que les doigts de sa mère suivant avec assurance le point arrière sur le tissu, sous l'implacable pied-de-biche de la machine à coudre Singer.

« Que le meilleur gagne. En dépit de ma condition de président du club, je souhaite toujours, dans mon for intérieur, que le meilleur gagne. Je le pense sincèrement. N'allez pas croire qu'une victoire me laisserait insensible. Je me rends compte qu'ils veulent ma tête. Vous savez ce que c'est. Quand on gagne, tout va bien. Mais si on perd, alors... J'ai confiance en ce garçon. Lui, oui. Je suis du même avis. C'est un fantastique avant-centre. J'ai été très pris ces temps-ci et j'ai oublié de vous remercier d'avoir bien voulu venir dans la tribune présidentielle. Moi-même et les membres du comité de direction, nous vous en remercions. Vous serez toujours bien accueilli ici, soyez-en certain. Tout le monde vous apprécie beaucoup et sait que vous aimez beaucoup notre club. Si nous gagnons. Que Dieu vous entende. »

Il aimait les premières minutes. Quand on cherche ses marques. Qu'on pique les premiers sprints et que le maillot commence à coller. L'« autre », il faut l'étudier du coin de l'œil. Le faire courir pour voir s'il peut te suivre. Voir de quel côté il préfère dribbler, avec quel pied. S'il est bavard. S'il te dit : « Tu ne toucheras pas le ballon. » Ou s'il commence déjà par un menaçant : « Si tu me mets un coup, je t'en rends deux. » Il aimait voir le respect et la crainte dans les yeux des plus jeunes ou l'angoisse et une certaine haine dans les rangs des vétérans de la défense centrale, démesurés dans leur engagement physique et dans la précision de leurs interceptions. Aux uns et aux autres il répondait : « Tais-toi et joue. » Ou bien : « T'es payé pour jouer, pas pour parler. » Il aimait les surprendre avec une réponse méprisante, mais bien élevée. Comme un grand monsieur.

Exactement comme un grand monsieur du football. Pourquoi pas ?

« Il n'y a plus de grandes vedettes comme autrefois. Regardez, ce garçon : il est bon ; mais vous l'échangeriez contre n'importe lequel de la demi-douzaine d'avant-centres d'il y a dix ans ? Aujourd'hui, prenez le premier venu : il sait à peine lacer ses chaussures qu'il faut déjà le payer. C'est ce que disait le maire l'autre jour : " Si les terrains vagues continuent de disparaître dans les quartiers, il va falloir fabriquer des joueurs de football en usine. " Mais à quelque chose malheur est bon. Je sais que c'est la marque du progrès. Les garçons d'aujourd'hui ont le choix, grâce à Dieu. Mais c'est dommage qu'il soit si difficile d'en rencontrer un qui ait de la classe et qui en veuille. Dès qu'ils atteignent un certain niveau, ils font leurs comptes : en tant d'années, je gagne tant, pas la peine de se défoncer. Regardez. Regardez comment il a raté son tir. Ce but, même vous, vous l'auriez mis. Si je puis me permettre. C'est que j'ai entendu dire que vous étiez un bon joueur. Je le sais, et de bonne source, c'est mon petit doigt qui me l'a dit. Quatre buts en 1923 ? En un seul match ? On en avait pour son argent en ce temps-là. Et je ne dis pas ça parce que vous êtes là. »

Quand il le vit arriver, il bondit instinctivement. Il eut la sensation que son cou s'allongeait en vain vers le ballon. Il sentit d'abord le coup de coude dans les reins, puis le ballon lui frôla la tempe, et du sol il vit comment les bras immenses du gardien de but l'attrapaient et le serraient contre sa poitrine. Il se redressa, une main sur les reins, l'autre levée pour attirer l'attention de l'arbitre et une certaine férocité dans les yeux qui cherchaient l'agresseur.

Ce dernier était là, abîmé dans la contemplation de ses crampons, mais observant sa réaction du coin de l'œil. Le menton de l'arrière était couturé de vieilles balafres, sous deux petits yeux qui depuis plus de trente ans regardaient le monde de haut. « Plouc de merde », lui cria-t-il, et l'arrière sourit tout en continuant de concentrer toute son attention sur ses crampons.

« Vous voyez ? Le public est sur les dents. Même lui ils le sifflent. Il y a des fois où je pense qu'ils sifflent précisément celui qu'ils ont le plus applaudi avant. Ça les embête de reconnaître qu'ils se sont laissé séduire par l'un d'eux. Vous croyez à la psychologie ? Moi, je crois surtout à la discipline. Mais la psychologie nous apprend beaucoup, vous ne trouvez pas ? Elle nous apprend à comprendre à quel point l'homme a une tête de mule. Mon père me disait toujours : " L'homme est le seul animal qui trébuche deux fois sur la même pierre. " Et il avait bien raison. Mais regardez ça ! quel bide ! Ce n'est vraiment pas son jour. J'ai déjà dit à l'entraîneur qu'après la mi-temps il doit mieux distribuer le jeu sur les côtés. Celui-là, ce n'est pas son jour, et le public ne le lui pardonne pas. Le plus incroyable, c'est qu'après ils s'en prennent à la tribune présidentielle. Ils croient que parce qu'ils ont payé l'entrée ils peuvent faire n'importe quoi. »

Même lui ne pouvait pas le croire. Mais ces choses-là arrivent parfois. Il l'avait déclaré à plusieurs reprises aux journalistes : c'est le football. A quelques millimètres près, c'est le coup de maître ou c'est la catastrophe. Ce ballon, il est à moi ! Il le couvrit de son corps tout en levant la tête à la recherche d'un équipier démarqué. Il esquiva le coup de pied meurtrier de l'arrière, son assaut, et même les mottes de terre et de gazon arrachées. Il visa une ligne vert et jaune, entièrement dégagée, menant au blanc des poteaux de but. Il fendait l'espoir retrouvé du public comme on fend de la purée de pois. Il vit, mais trop tard, le corps qui fusait au ras du sol vers ses pieds, et tomba en avant pendant que ses yeux suivaient le ballon qui venait se caler bien au chaud entre les mains crispées du gardien de but. Quand il reprit ses esprits, les cris du public étaient comme des couteaux qui se fichaient dans son cœur et dans ses tripes.

« *Quel abruti ! Vous avez vu ? Il cherche la bagarre ; les supporters se sont mis à siffler. Vous avez tout à fait raison, il n'y a plus de conscience civique. Plus d'éducation, plus de bonnes manières. Non, c'est pas seulement ce public-là. C'est le pays tout entier. Ici, on ne peut jamais faire la fête tranquillement. Oui, monsieur, vous avez raison. Au moindre geste, on crie à l'assassin. On veut calmer le feu et on vous traite de crétin. C'est jouer, ça ? Si ça ne tenait qu'à moi, je les livrerais au public. Ne riez pas. Je leur lâcherais le public dessus ! Ce sont des pauvres types. On les sort du ruisseau, on en fait des milords, des millionnaires, et voilà comment ils vous remercient. Savez-vous ce que m'a répondu l'autre jour un de ces minus ? " C'est pas vous qui devez vous mettre le public dans la poche tous les dimanches. " Comment ça, c'est pas moi ? Et qui est-ce qui prend quand les choses tournent mal ? C'est toi peut-être ? Ma femme a raison, personne ne m'a demandé de me mettre dans cette galère. Mais j'ai le football dans le sang, et ce club-là, je l'ai dans la peau. Je dirais même plus, pour moi, c'est comme un service public. Regardez-les : quarante mille personnes réunies en plein air, vibrant d'une passion commune. Le sport, c'est quand même beau !* »

Le pire, c'est de perdre la confiance en soi, se répétait-il. Le pire, c'est d'essayer de remplacer la confiance en soi par le cinéma. Il ne voulait pas faire comme ce crétin qui attire les applaudissements du public en allant sur tous les ballons. Si on court après tous les ballons, on n'en prend jamais un seul. Il était en train de tomber dans le piège, dans le piège de garder le ballon pour lui ; il attaquait encore et encore, et chaque fois ratait son coup. Il lui semblait même que le visage de l'arrière avait changé, qu'il avait cessé de l'étudier, de l'évaluer. Il avait maintenant l'expression de celui qui est sûr de son coup, qui agit sans se préoccuper de l'adversaire. C'est pourquoi l'avant-centre se mit à courir après tous les ballons, et quand il était sûr qu'il ne pourrait plus l'attraper, il se lançait les pieds en avant, la rage au cœur. Et quand il sautait, il avait les coudes bien droits, au cas où il aurait pu filer un bon coup à la tête de ce fils de pute qui jouait comme s'il n'existait pas. Le public l'encourageait, mais lui, il se sentait abandonné dans un tunnel de silence, peuplé de visages grimaçants, possédés par la fièvre de la destruction. Il appelait les passes en hurlant. Il râlait contre les carences de ses coéquipiers. Il cherchait la mort dans chaque choc avec l'arrière. Jusqu'au moment où il encaissa un coup de genou dans les parties et où son bourreau, aux pieds duquel il se tordait en gémissant et en jurant, se pencha vers lui avec une fausse sollicitude.

« *Il ne manquait plus que ça. En plus ils nous l'esquintent. Non ! qu'ils ne le remplacent pas, ce serait le condamner à mort ! S'il quitte le terrain maintenant, ils vont lui faire une telle bronca qu'il n'y aura plus moyen de le titulariser de toute la saison. Et ça, non. On a beaucoup investi dans ce gars-là. N'allez pas croire, quand on va jouer ici ou là, il y a un tarif avec lui et un autre sans lui. Ce n'est pas le bout du monde, mais vu le marché... C'est un pas grand-chose. Comme les autres. Ils n'ont rien là-dedans. Que voulez-vous ? Ils se font joueurs de football pour sortir du lot, mais ils ne valent pas grand-chose. Enfin, il se relève. Alors, coco, c'est pour aujourd'hui, pas pour demain ! Il ne manquerait plus qu'ils lui aient vraiment amoché le peu qui lui reste. Vous riez, mais je me fais du mauvais sang. Et les revoilà qui sifflent ! Parfois, je pense que nous n'avons pas progressé du tout depuis le cirque romain. Si on les laisse, ils vont se le faire. Ils s'en foutent de le bousiller. D'ailleurs, il le mériterait. Arrête ton char ! Qu'est-ce qu'ils crient ? Démission ? Vous les entendez ? Ils crient démission !* »

Quand il rentrait chez lui plein de bleus, couvert de pommade, il essuyait sa peau d'un jaune luisant avec une serviette, avant de s'asseoir à table. Son père le regardait avec un mépris distant. Il hochait la tête sans rien dire. Sa mère râlait depuis la cuisine, en une psalmodie hystérique et mécanique. Mais lui, il les berçait d'un rêve triomphal : un appartement neuf avec des meubles de style anglais couleur café au lait. Son père, en pantoufles de velours, une chevalière en or au doigt et un gros havane à la main. Sa mère, les ongles d'une main en train de tremper pendant que la manucure lui masserait délicatement ceux de l'autre main. Il entrerait, vêtu d'un pull à col roulé, les yeux de ses parents s'empliraient de larmes de reconnaissance, et dans ceux de la manucure s'ouvrirait un abîme d'admiration. « Cours ! Cours ! », lui criaient ceux du premier rang, le corps coupé en deux par la rambarde. Et il courait, poussant le ballon de plomb de ses jambes de plomb, avant de tomber par peur de tomber, ou avant de le perdre, ce ballon, dans les pieds ailés de l'arrière, vieux et sourd.

« Non, s'il vous plaît. Non, pas la police ! Qu'ils lancent les coussins ou qu'on lui colle une amende et voilà tout. Qu'est-ce que j'y peux ! Ils pourraient s'énerver encore plus. Qui paierait les pots cassés ? Vous et moi. Le seul coupable c'est lui. Je le tuerais. De mes propres mains. Tout de suite. Les gens. Les voilà qui arrivent. Il l'a bien cherché. Il n'y a aucune raison de payer pour lui. Demain je déclarerai à la presse que j'ai pris des mesures d'urgence. Une amende que personne ne pourra lui faire sauter. Pardonnez-moi. Mais regardez la populace. Même ceux des tribunes. Ils s'en prennent à nous. Démissionnez vous-mêmes, bande de crétins ! Vous avez vu ? Et ce ne sont pas des monsieur-tout-le-monde, ce sont des gens qui ont les moyens. Mais ou on leur fait gagner le gros lot ou ils vous brûlent sur la place publique. Ce poste est un purgatoire permanent ! La politique, c'est quand même pas pareil. Non pas que je ne me rende pas compte de vos difficultés. Aujourd'hui, vous êtes là ; mais moi, c'est tous les dimanches. Et il y a quarante, cinquante, soixante mille personnes qui vous disent oui ou non. Et sans y être pour rien, c'est ça le plus fort. Parce que si j'y gagne en popularité, en relations, il faut encore que je donne des garanties et même parfois que je paie de ma poche. Et en plus, c'est moi qui prends pour ces crétins. Qu'est-ce que c'était ? Une pierre ? Ils vous ont fait mal ? Sauvages ! Aux cavernes, sauvages !

Allons-nous-en, monsieur, qu'ils se débrouillent ! J'en ai assez. »

Les coussins parsemaient le terrain comme des coquelicots. Ils volaient en quête de têtes à trancher, pour retomber comme des lames de guillotines ayant raté leur coup, converties en fleurs écrasées. Il n'y avait pas assez de mains pour les ramasser. L'arbitre regardait fixement le tunnel de la sortie, prêt à siffler la fin du match. En même temps que les coussins, volaient des bouteilles et des morceaux de ciment arrachés des murs du stade. Un banc enflammé fendit l'air avant de s'écraser sur le terrain. En une vision apocalyptique, des anges noirs tentaient de contenir des paquets de gens qui se répandaient sur la pelouse, après avoir rompu les portes du ciel, laissant chaque archange du ballon démantelé, les bras ouverts, étourdi. La foule affamée se rua par les brèches ainsi ouvertes. Les joueurs prirent la fuite vers les souterrains ; mais lui resta près du poteau de but gauche pour attendre l'arrière. Tendu, comme évaluant les possibilités de tir au but. Le vieil arrière tout raccommodé lui cria, mais en vain, avant de s'enfuir : « Va-t'en, imbécile, c'est après toi qu'ils en ont. » Mais il attendait l'arrière, à son poste d'avant-centre, en un acte de foi, convaincu que la foule n'aurait pas d'autre solution que de le respecter. Pourtant, la foule trouva plus simple de le jeter à terre. Cela évitait aux gens d'aller jusqu'au pied de la tribune présidentielle pour reprendre la Bastille, un exercice toujours dangereux. Et autour des plus actifs, de ceux qui piétinaient le corps disloqué d'un dieu maladroit devenu impuissant se créa une vacuole de respect digestif. Tout mouvement semblait paralysé. Dans la tribune présidentielle, M. le Président et ses invités clignaient des yeux, peut-être souriaient-ils ou n'était-ce qu'un rictus, mais tous se léchaient les babines et ne quittaient pas des yeux ce spectacle qui les sauvait.

Le premier morceau qui se sépara du corps fut la jambe gauche. Ce n'était pas son meilleur instrument, bien que la fiche technique assurât qu'il se débrouillait bien avec les deux jambes. En revanche, la droite, elle, était une jambe remarquable, capable de shooter à cinquante mètres sans perdre trop de force dans les dix derniers mètres. Ce fut précisément celle-ci qui reçut les premières morsures. Tout le monde n'osait pas y planter les dents, parce que les yeux étaient encore ouverts, pleins de larmes, et que la langue, à moitié arrachée, tentait de trouver des arguments en faveur d'un prestige séculaire rationnel. Mais il suffit qu'un comptable finisse d'arracher la tête et l'introduise avec une incroyable précision dans la lucarne gauche des buts ennemis pour que, les dernières barrières qui empêchaient le festin renversées, les mains se multiplient, déchiquetant les morceaux, et pour que les chairs tièdes, violacées, striées de veines ouvertes, palpitantes, bouillonnantes d'un sang à moitié fluide, à moitié coagulé, approvisionnent les convives qui fouissaient les restes, sans prêter attention aux réquisitoires des membres moins audacieux du public ni aux quelques vomissements isolés que les femmes simulaient, plus pour montrer leur nature cultivée que pour obéir à la nature proprement dite.

Quand le crépuscule tomba, le personnel subalterne retourna la terre et le gazon ensanglantés à l'aide de sarcloirs et de râteaux, tandis que les gens quittaient le stade avec la vague sensation d'une après-midi gâchée.

Cependant, la vie reprenait le dessus, et, lorsqu'ils reconnurent la Grande Voiture Noire aux chromes brillants, le bruit courut, de bouche à oreille, que passaient le Président et ses invités.

1972

Pygmalion

Il l'avait vue passer quelques fois dans le quartier, avec un panier d'osier, à la fois utilitaire et sophistiqué, tout comme l'était son manteau, d'une fourrure suspecte, qui la faisait paraître plus menue qu'elle ne l'était et engloutissait une partie de ses cheveux raides, d'un blond doré artificiel. Comparée aux autres femmes que l'on rencontre d'habitude dans la rue ou dans les boutiques, la quarantaine dangereusement amaigrie ou grossie, les traits et les jambes fatigués, enrobées d'une flagrante odeur de quotidien, la fille semblait être une exilée ou un animal de passage prometteur. Mais je ne la désirai pas jusqu'à cette après-midi de fin d'hiver, quand je la vis sur le trottoir d'en face, attendant, songeuse, que le feu passe au rouge, tenant un enfant d'une main, et de l'autre un sac excessivement neuf qu'on aurait dit blindé quand un rayon de soleil venait frapper la carapace de cuir. Elle se tenait, blonde et décolorée, entre l'enfant et le sac, les sourcils désenchantés, la bouche et les seins tristes, la sensualité concentrée dans les hanches, et des jambes longues et charnues à dévorer du regard. Bonne pour l'adultère, pensai-je, non sans un certain remords, imaginant déjà la situation morbide, de confiance trahie, la sienne, celle de son mari, probablement la mienne. Trottinant comme un pantin, l'enfant se pendait à son bras, enveloppé dans un nuage d'eau de Cologne plus efficace que raffiné, confiant comme un prince héritier, ouvert à l'aventure d'une après-midi remplie de vendeuses affectueuses, de sucettes, de chatouilles et du langage des adultes qui imitent les enfants sans le moindre talent théâtral. C'était un enfant de spot télévisé : blond, une frange lui couvrant le front, il collaborait avec un certain fatalisme à l'effort peu enthousiaste de sa mère pour le traîner avec elle, et tournait la tête de tous côtés comme pour essayer de se souvenir vite et pour toujours de ce qu'il voyait.

Elle ne se révéla tout à fait à moi qu'après le printemps, quand elle ôta son manteau et découvrit une robe de demi-saison gainant son corps plein de recoins et de promesses. De nouveau elle était là avec l'enfant, près du passage clouté, comme si elle ne l'avait quitté qu'un instant pour se débarrasser à la fois de l'hiver et d'un manteau de fausse fourrure. Presque sans m'en rendre compte, je suivis le même chemin jusqu'au kiosque à journaux, fasciné par la façon dont ses jambes et ses hanches tendaient le lainage de sa jupe, d'aussi bonne qualité que le cuir de son sac. Je la laissai acheter un journal du soir et une revue à mi-chemin entre l'astrologie et la vulgarisation de qualité sur les diamants les plus volés du monde, en passant par quelques portions de marxisme conventionnel appliqué à l'interprétation du cycle des romans bourgeois de Thomas Mann. Je la suivis en adoptant sa lenteur de femme fatiguée par une matinée remplie de travaux domestiques, consciente que le jour allait faire place à la nuit, sans la moindre surprise possible. Ses yeux cherchaient d'inutiles distractions dans le paysage vicié du quartier à loyer modéré, et l'enfant qu'elle traînait comme une obligation assumée se rappelait parfois à son souvenir par un doux serrement de sa petite main dotée de cinq vies chaudes et moites. Je reconnus de près sa longue nuque sous une chevelure excessivement maltraitée par les décolorations, mais appétissante tout de même, désirable comme une couronne dorée, ou un panache sur un visage à la bouche sexy, avide et tendre fente. Je reconnus son dos court et mince comme ancré dans des hanches charnues dont j'imaginais la peau tendue, presque violacée à l'endroit humide des jointures, authentique planète entre le chaud et le froid pour une main nécessiteuse de l'immense patrie d'un cul. Ses longs bras promettaient de lentes caresses, des bras croisés sur son propre corps pour se protéger de faciles abandons ou d'étreintes d'une maladresse excitante, des bras incapables d'évaluer les distances, aveugles aux volumes. De temps en temps, j'avançais à sa hauteur pour reconnaître ses traits fins et fugitifs, le vaste intervalle de la gorge aux seins, à peine soutenus par un solide mamelon, excessivement tété sur le conseil d'un pédiatre à l'ancienne mode, apprendrai-je plus tard. Le ventre plat, les os des hanches menaçants, comme des anses, et ces jambes interminables, tout en longueur et en chair.

Ensuite, je la suivis au long de sa *via crucis* quotidienne dans des boutiques parfaitement imaginables : deux cartons de lait, quatre *donuts* au chocolat, un chou-fleur jaune qui ressemblait plutôt à un bouquet d'immortelles, des petits ciseaux à ongles, de la laque, de la mousse à raser en spray, que ses yeux gris contemplèrent avec scepticisme avant de la laisser tomber dans un panier d'osier, convaincue qu'il n'y avait pas plus de raisons de douter que de croire en ses qualités. Nos regards se croisèrent quand, à la porte de la parfumerie, je flirtai brièvement avec le gamin, tout sourire de reconnaissance envers cet étranger qui essayait de se mettre à son niveau. Elle aussi me remercia de mon intérêt en me montrant des dents un peu trop espacées et demanda à l'enfant de me rendre mon salut, ce qu'il fit en s'essayant à des grâces qui avaient fait leurs preuves. Du coin de l'œil, je remarquai qu'elle me regardait avec cette curiosité de jeune mariée de quartier petit-bourgeois, neuf et uniformisé, où l'autre surprend toujours quand il s'approche à moins de cinquante centimètres.

« Il est éveillé, cet enfant.

– Quand il est bien disposé. »

Elle sourit en prononçant ces mots. J'entamai la conversation et la poursuivis en marchant à côté d'eux, en feignant de ne pas voir l'étonnement contenu dans son regard quand elle se tournait vers moi, ni les coups d'œil prudents qu'elle lançait à droite et à gauche. Pour fuir le cadre dangereux d'une situation qui ne lui déplaisait pas, elle dirigea ses pas vers le parc, de moins en moins méfiante au fur et à mesure que nous nous éloignions du territoire de sa vie quotidienne. L'enfant l'abandonna quand il eut repéré la silhouette d'un toboggan rouge et jaune. La tentative de sa mère pour le rattraper et le retenir comme point de référence ou comme garantie morale resta vaine. L'enfant nous laissa seuls, debout, et nous n'eûmes d'autre solution que de céder à la facilité d'un banc public au crépuscule, nous y laissant tomber en préservant une distance pudique, un sourire fugitif entre son nez et sa bouche, moi aussi décontracté en apparence que tendu en mon for intérieur.

Le thème du mauvais entretien du parc ne dura pas longtemps, ni celui des caractéristiques d'un enfant trop gâté par ses quatre grands-parents, car premier-né de la famille. Il fut facile de passer au thème du train-train de tous les jours, elle mourait d'envie de me confier son ennui et combien elle en avait assez de faire les boutiques avec un enfant sur les talons.

« J'aimerais travailler. »

« Ou finir mes études », ajouta-t-elle, tout en m'observant pour vérifier l'effet que produisait sur moi son passé culturel. Ma réaction d'agréable surprise lui permit de me raconter qu'elle avait presque terminé ses études secondaires, mais que ses parents avaient profité de sa nonchalance pour la pousser au mariage. Son mari était maître d'œuvre le matin et, l'après-midi, construisait un ensemble urbain, à son compte et à ses risques et périls, sur un terrain communal miraculeusement proche de la ville. Elle représentait parfaitement cette prospérité naissante de jeune couple bourgeois formé d'une épouse dotée d'une certaine éducation, veillant sur son régime et fréquentant les saunas, et d'un mari travailleur, adepte du métro-boulot-dodo, honnête, prudemment entreprenant, propriétaire avant quarante ans d'une villa avec piscine, et voyageant chaque année à l'étranger pour voir du porno à Copenhague ou Disneyland à Los Angeles. Quand je lui dis que je donnais des cours à l'université et que j'étais en train d'écrire une critique de la pensée économique de Flores de Lemus, j'observai dans ses yeux le filtre purpurin de l'évaluation intellectuelle et vis tomber son avant-dernière résistance à l'étranger qui s'était immiscé dans son après-midi de printemps. L'enfant, libéré et joyeux, était devenu notre meilleur complice. Je lui proposai de l'aider à retrouver le chemin culturel perdu et elle m'offrit sur un plateau de faire le lien entre éducation et érotisme.

« Si mon mari apprend que je me remets aux études... Il déteste les femmes savantes.

– Il est très réactionnaire ?

– Vous voulez dire très révolutionnaire ?

– Non, je vous demande s'il est très conservateur.

– Il dit que non. »

Elle regardait un petit caillou gris et insignifiant qu'elle n'arrivait pas à toucher de la pointe de son pied. Elle cherchait les mots justes pour mettre son mari à mort sans perdre la face.

« Mais il l'est. »

Elle releva son visage rosi par le crépuscule et dit en souriant :

« Tous les hommes le sont, non ?

– Moi, je n'ai rien à conserver.

– Vous êtes célibataire ?

– Je suis marié, mais je n'exerce pas. Je suis séparé.

– Vous avez des enfants ? »

La question venait enveloppée de compréhension et de pitié pour un cœur, le mien, sans nul doute brisé par une vie familiale détruite.

« L'important, c'est que vous commenciez les cours particuliers cette après-midi même.

– Avec qui ?

– Avec moi.

– Je suis très paresseuse. J'ai besoin d'être stimulée.

– Je vous aiderai. Je vous donnerai une leçon chaque après-midi. »

La plaisanterie fut suffisamment ambiguë pour que je puisse me permettre de lui donner rendez-vous le lendemain après-midi dans le même parc. Je lui apportai deux livres au succès assuré : *Le cœur est un chasseur solitaire,* de Carson McCullers, et *Principes fondamentaux de politique,* de Montenegro. Elle ne s'attendait pas à une attaque pareille ni à ce que j'aie parfaitement calculé et testé les effets de telles lectures. L'ouvrage de Carson McCullers lui laisserait deviner une hypersensibilité, jusque-là insoupçonnée, en liaison directe avec la mienne, qui, par le simple fait de les lire, la ferait accéder à la communauté des êtres les plus sensibles et les plus appréciés de ce monde. Quant au bréviaire de formation politique, il lui offrirait un chaos de formules conceptuelles, en opposition totale avec la hiérarchie des valeurs utilisée dans la construction d'une vie à loyer modéré, avec résidence secondaire à la campagne et voyages à la recherche de porno et d'imaginaire. L'introduction du doute politique m'avait apporté autrefois des résultats inestimables parmi des femmes qui considéraient la chasteté comme un des principes fondamentaux du franquisme et que l'apparition de convulsions politiques préparait à une seconde phase de politisation par voie vaginale.

J'appliquai systématiquement à Irène le plan de séduction culturelle, en l'adaptant à ses expériences antérieures personnelles, modifiant la méthode en fonction de ses besoins. Je poursuivis le traitement à base de nouvelles sensibles et de vulgarisation démocratique, jusqu'à la confronter à des livres de poèmes incitant au compromis, et à des essais comme *Le Deuxième Sexe,* qui impliquaient une volonté délibérée de perdition dans les couloirs morbides des vérités interdites. La lecture du livre de Simone de Beauvoir précipita la suite. Les déficits linguistiques d'Irène l'obligèrent à s'en remettre à moi, à me faire confiance comme à un prêtre connaissant le latin, et, de ce fait, possesseur de l'unique langage permettant de communiquer avec les divinités. Très vite, je me rendis compte que, malgré la dimension strictement intellectuelle et champêtre de nos rencontres, les distances physiques s'amenuisaient et que nos cuisses se touchaient pour que nous y posions le livre. Après le tutoiement vint cet attouchement précipité des mains, prolongement de bras mous et retenus, qui théoriquement sont censés souligner des concepts ou attirer l'attention de l'autre, mais qui, en réalité, ne servent qu'à cacher la tentation de l'étreinte. Comme si elle sortait d'une grave maladie de stupidité bourgeoise, Irène la convalescente affinait les nuances de son esprit, et son corps se rapprochait de moi avec autant d'appétit que son cerveau. C'est alors que je m'appliquai à rendre embarrassantes nos rencontres en plein air.

« Cette dame qui a l'air d'une femme de vétérinaire ne nous quitte pas des yeux. Elle doit penser que nous sommes amants.

– Je ne suis vraiment pas tranquille. Un jour, un voisin ou un parent va me voir. Et si mon mari le sait...

– Sait quoi ?

– Ça.

– Ce cours d'université à distance ? »

Elle se mit à rire et me donna une petite tape, d'un

geste si lent que sa main resta suffisamment longtemps sur mon épaule pour que je l'attrape et la caresse d'un frôlement aussi doux que l'avaient été nos relations jusque-là. Elle ne savait pas où cacher son regard ; j'abandonnai alors sa main, ôtai sciemment mon bras et passai le dos de ma main sur sa joue en feu. En retombant, ma main se saisit de la partie dénudée de son bras, et je serrai sa chair ferme et froide, comme pour lui transmettre un message de frustration et de reproche. A ce moment-là, déjà, son regard suppliait que mes yeux et mes lèvres lui disent la même chose que mes doigts. Je me levai.

« Partons. Ici on ne peut pas parler. »

Elle m'emboîta le pas, tirant l'enfant qui se plaignait de la rapidité de la marche. Arrivé devant mon immeuble, je pénétrai sous le porche, appelai l'ascenseur sans même la regarder, sans me préoccuper des possibles questions inscrites sur son visage. Une fois dans l'ascenseur, nous nous regardâmes fixement, moi, avec un mélange calculé de timidité et de détermination, elle, avec un regard de première nuit de noces. L'enfant s'était assis par terre et comptait sur ses petits doigts une somme chimérique de souvenirs et de « c'est comme ça ». Une fois chez moi, je repoussai les livres et les vêtements pour que nous puissions nous affaler sur le sofa. Elle prit un ton sympathique pour dire : « Quel désordre ! », mais cela sonna faux. Et quand le gamin se perdit dans les anfractuosités du sol à la recherche de l'aventure, mes mains prirent possession de son corps avec une passion d'adolescent affamé. L'enfant entrait de temps en temps, transformé en train à quatre pattes, sans prêter attention au désordre des vêtements, d'où surgissaient des corps comme neufs, spécialement ces seins d'une blancheur de lune piqués de mamelons lilas. J'essayai de lui découvrir des nudités plus fondamentales, mais elle me contint avec efficacité, renfila ses vêtements, comme si elle se remettait d'un vertige qui lui rougissait les joues et les yeux, et se leva, chancelante.

« Tu as la télévision ?

– Oui, au fond du couloir. »

Elle attrapa l'enfant au passage et l'emmena. J'entendis un bruit de porte, des indicatifs et des voix. Une autre porte se ferma. Elle apparut, lente, sûre d'elle-même, arrangeant ou plutôt ébouriffant plus encore sa chevelure brève et terne, se déshabilla de dos et brusquement m'offrit la totale vérité de son corps, du haut en bas, avant de plonger sur moi comme une nageuse, plus pour se cacher que pour se donner. Ce fut un acte sans gémissements, avec pour seul langage celui de la respiration et des mains, qui se répéta sans que nous nous décollions l'un de l'autre, comme si nous craignions que la distance du parc ne revienne s'interposer tel un présage de séparation définitive. Ensuite, elle voulut fumer une cigarette suivant un rituel conventionnel qu'elle avait probablement tiré d'un livre que je ne lui avais pas conseillé. Seuls les amants infidèles fument après l'amour, et plus d'un a été découvert pour avoir, après l'accomplissement du devoir conjugal, cherché dans la cigarette le souvenir nostalgique de son complice. Moment redoutable que celui de la cigarette, surtout quand le partenaire a des prétentions littéraires et veut se dédommager de sa confiance à coup de confidences intimes. Elle ne me proposa pas de vivre ensemble pour toujours, mais elle commença à m'expliquer ses projets d'avenir encore entachés des critiques du passé.

« Grâce à toi, je peux de nouveau être moi, tu comprends ? »

« Redoutable », pensai-je. Mais la contemplation de son corps tant désiré durant la phase de recyclage éducatif compensait n'importe quelle peur de tomber dans les sables mouvants de la confraternisation. Elle se rhabilla avec suffisance et me traita comme une mère qui promet à son fils qu'elle reviendra bientôt. Elle m'avait dominé sur le sofa et elle prenait sa revanche sur mes conférences politiques et culturelles, assumant pour la première fois un rôle indiscutable. Déjà, lors de cette première rencontre, je me rendis compte de la tentation de reproduire une fois de plus le modèle matrimonial. Bien que je la vis désormais en partie comme un jouet usé, j'aurais préféré qu'elle reste, et je fis mes adieux à l'enfant comme s'il était plus mien que quand il était monté dans l'ascenseur, sagement assis au-dessus du vide. Je fus un peu exaspéré par le fait qu'Irène me donnât rendez-vous le lendemain dans le parc, car je pressentis la vague de remords et la longue lutte moralisante entre l'épouse égarée et le séducteur de quartier. Inévitable. Nous consacrâmes toute l'après-midi suivante à l'exposé de mes désirs et à lui faire entendre raison. Irène avait disposé de toute une nuit pour récupérer son complexe de culpabilité, pour se souvenir à quel point son mari travaillait énormément, au bout du compte sans autre compensation de sa part que l'exclusivité sexuelle.

« Si j'étais économiquement indépendante, tu comprends ? Mais c'est lui qui m'entretient. Il me paie même le coiffeur.

– Je ne te propose pas une trahison, mais un acte de liberté. Ni toi, ni moi, ni lui n'avons choisi les relations sociales et culturelles que nous appelons mariage.

– Oh, oui. Toi, parler, ça tu sais le faire. Je ne sais plus où j'en suis. »

Je faisais alors semblant d'être extrêmement blessé par des paroles aussi méprisantes et elle me consolait jusqu'au bord de l'abîme, mais, dès que je lui attrapais la main pour reprendre le chemin de chez moi, elle récupérait ses esprits et résistait, têtue comme une mule. Je n'hésitai pas à utiliser les recours les plus éculés : adieu donc, tu es une dégonflée, tu as l'âme d'une esclave, putain de vie qui ne nous permet pas même un moment de folie, on ne peut tout de même pas vivre éternellement suspendus aux contrats, etc. Mon traitement rééducatif avait été trop court, je m'en rendis compte à l'inefficacité de mes plaintes destinées à escalader les murailles de Jéricho de la morale conventionnelle. Découragé, je lui arrachai un rendez-vous pour le lendemain auquel elle ne vint pas. Le toit de ma chambre reflétait ma perplexité devant l'ambiguïté de mes sentiments, en partie assouvis par l'aventure, en partie frustrés par un final si abrupt. Deux jours plus tard, la sonnette me tira d'une de ces réflexions perplexes : Irène et le petit, toujours pendu à son bras, étaient là, surpris, souriants, déjà déshabillés quand j'ouvris la porte. Je découvris aux bégaiements de mon cœur et de mon estomac que j'étais immensément heureux.

Quelques semaines plus tard, je pouvais la dessiner du bout des doigts, jusque dans ses moindres recoins. Cette peau luxueuse et lisse, au grain serré, tendue, le cou caressé par mes mains dirigeant vers mon corps la bouche comme une blessure, la langue brève, aiguë, une éternité de caresses gourmandes et absorbantes. L'amour civilisé face à face, ou l'amour de vainqueur à vaincu, avec son corps à elle, à quatre pattes, chevauché par un cavalier fou de rage mais incontesté ; l'amour expérimental de bas en haut ou l'assaut capricieux sur une table de salle à manger pleine de fiches sur les sciences prophétiques de Flores de Lemus. Les échanges corporels continuaient d'aller de pair avec ceux de la culture. Mes livres allaient et venaient, et je notais l'enrichissement du savoir conventionnel d'Irène, son assimilation du langage codé, sa capacité progressive à pouvoir parler d'Hemingway comme d'un ami de la famille ou de condamner l'obsolescence du gaullisme quand, après la mort de Pompidou, Giscard d'Estaing gagna contre Chaban-Delmas la lutte pour la candidature présidentielle.

« C'est une autre droite, me risquai-je à lancer. Elle a longuement appris à négocier avec la gauche. Ce n'est pas comme ici où le recours à l'extermination a toujours été la solution la plus facile.

– La droite restera toujours la droite. »

Me répondit Irène sur un ton de professeur non titulaire, militant d'un groupe marxiste-léniniste. Je ne fus donc pas surpris quand, peu de temps après, elle me déclara qu'elle tentait d'entrer à l'université, en passant les examens pour adultes de plus de vingt-cinq ans.

« Que vas-tu étudier ?

– Psychologie.

– Je ne te le conseille pas.

– Pourquoi ?

– Toutes les femmes mariées qui s'inscrivent en psychologie essaient en fait de résoudre leurs propres problèmes psychologiques.

– Alors je ferai sciences économiques.

– Grands dieux, tu vas me faire de la concurrence.

– Crétin, mais quel crétin tu es. »

Je ne pense pas exagérer en m'attribuant une bonne partie du succès d'Irène aux examens d'entrée à l'université. Pendant deux mois, nos relations sexuelles diminuèrent au rythme de l'augmentation d'intensité des cours particuliers que je lui donnais, de la correction des devoirs et de l'élaboration de thèmes nouveaux. L'enfant continuait d'habiter la caverne télévisuelle ou d'assister, indifférent, à nos cours particuliers. De temps en temps seulement, pour nous reposer des fatigues de l'esprit, nous nous déshabillions et je récupérais enfin son corps tiède entre mes bras, mais pas sa tête, pourtant ancrée dans mon imaginaire, avec sa bouche blessure et sa langue fouet, marée de délices humides. Quand ma main lui proposait de voyager sur mon corps, la tête d'Irène se bloquait, comme si le muscle fléchisseur de son cou s'était cassé, et dans ses yeux je lisais une répugnance non avouée à utiliser à des fins d'excitation ou de satisfaction sexuelles une langue capable de réciter la théorie de la valeur selon Ricardo.

Elle passa tout l'été dans la villa achetée grâce au labeur de son mari. Elle avait réussi son examen d'entrée à l'université et vivait concentrée comme un sportif sur un effort de formation permanente pour arriver en forme à la rentrée. Elle mit son mari au courant de ce qui l'attendait et me décrivit sa réaction lors de l'une des rares rencontres intimes que nous eûmes pendant cet été-là, dans un hôtel plein de Hollandais, à mi-chemin entre sa villa et un appartement que j'avais loué sur la côte.

« Il l'a pris fantastiquement bien. Il dit qu'il me comprend et que c'est une bonne idée. J'ai été surprise. C'est un type bien. »

Elle n'avait pas de temps à perdre pour tenter de récupérer les bons moments passés. Elle copula une seule fois, avec certaines caractéristiques d'ultimatum ou d'exécution très sommaire. Elle s'était déshabillée sans mystère et elle se rhabilla comme si elle venait d'entendre le : « Voyageurs, en voiture ! ». Quand elle revint avec les premières pluies, elle me téléphona plus qu'elle ne me vit. Comme la flamme du gaz qui s'éteint lentement, la transition entre la période où nous nous voyions et celle où nous ne nous voyions plus passa inaperçue. Un jour, je me rendis compte que je ne la voyais plus, que mon quartier était de nouveau un enchevêtrement d'allées et venues, d'ennuis et de fatigues. Je remarquai une fille rousse qui courait toujours, pressée par on ne sait quelles urgences, offrant le trot presque sonore de deux seins obsédants. Mais un jour, je la vis de très près et, lui jetant un œil de maniaque sexuel qui s'ignore, elle me parut trop jeune pour un homme comme moi, inapte aux joies accélérées, et je la laissai passer, comme sans aucun doute le vampire de Düsseldorf ou Jack l'Éventreur laissèrent passer généreusement plus d'une fois une victime ignorante de ce qui aurait pu lui arriver.

Malheureuse servitude que celle de l'homme qui a lu trop de livres et confond l'éthique et l'esthétique. Il ne me semblait pas moral de harceler Irène ni même d'épier ses promenades avec l'enfant pendu à son bras. Aussi me consacrai-je à une traductrice suisse, employée par une revue de produits pharmaceutiques, et recommençai-je la même expérience d'une sexualité exclusivement appliquée à la relation entre la faim et la satisfaction de la faim. Je retrouvai ma tendance aux parties de jambes en l'air simultanées : la traductrice suisse le lundi ou le mercredi, une ancienne camarade d'école le jeudi et certains week-ends, une ex-championne de patinage artistique que j'avais connue lors d'une manifestation en faveur de l'amnistie et qui était libre tous les samedis matin, à partir de sept heures trente. Je gardai d'Irène le souvenir non seulement d'une aventure amoureuse, mais aussi d'une femme qui avait changé mon comportement, en m'obligeant à assumer un rôle déterminé de comédien, devenu, en fin de compte, ma personnalité préférée. Je découvris que j'aurais même aimé vivre avec elle, avec l'enfant, retomber dans le train-train des dépenses quotidiennes partagées, récupérer la routine comme on récupère le lit, les chaussures, la voiture, le parapluie.

Je ne la revis que trois ans plus tard. Les cheveux un peu plus négligés, les vêtements passés de mode, le corps plus resplendissant abordant une trentaine triomphale, et le tout relevé par de fines rides, présage de maturité : des cernes donnaient un air las aux yeux gris et deux lignes délicates encadraient la bouche blessure. Ses gestes et sa démarche, soulignés par la splendeur de ses hanches et de ses jambes, la distinguaient parmi des femmes qui discutaient à la porte d'un organisme culturel récemment entré dans un processus fatal de démocratisation sur ordre impératif de sa direction accaparée par des gauchistes obstinés. Irène parlait avec suffisance, les autres écoutaient.

L'enfant avait déjà presque dix ans et tantôt écoutait sa mère, tantôt s'éloignait du groupe pour essayer d'arracher le panneau annonçant la conférence de Tierno Galván sur « Humanisme et socialisme ». Quand les appariteurs ouvrirent les portes, Irène fit quelques pas sans cesser de parler et tendit instinctivement la main pour saisir celle de son fils. Il était là. L'enfant se colla à sa mère et la suivit comme je l'avais déjà vu la suivre plusieurs années auparavant sur les trottoirs de mon quartier. Tournant la tête dans tous les sens, comme pour essayer de se souvenir pour toujours de tout ce qu'il voyait.

Je m'assis quelques rangées derrière elle et choisis de la contempler. Je vécus la conférence de Tierno Galván au travers de ses réactions. Irène n'était pas d'accord avec le vieux professeur. Elle hochait la tête pour exprimer son désaccord, s'agitait, indignée, donnait des coups de coude ironiques à sa voisine, pendant que de l'autre côté l'enfant s'était laissé tomber du fauteuil, pour mimer, sur le sol glacé, ses impossibles chimères de plongeur sous-marin. Quand vint le moment des questions, Irène se leva et demanda au conférencier s'il assumait la tradition du socialisme réformiste de Prieto ou celle du socialisme révolutionnaire de Largo Caballero...

« Mademoiselle...

– Ni mademoiselle ni madame. Irène tout court.

– Irène. Étant donné la réputation de traditionaliste que l'on m'attribue, ne me faites pas assumer plus de tradition. »

Aux gestes de dépit d'Irène je compris qu'elle disait quelque chose dans le genre de : « Ce n'est pas très sérieux. Si jusqu'à présent vous avez parlé sérieusement, pourquoi cette plaisanterie ? » Je m'arrangeai pour sortir en même temps qu'elle et l'attrapai par l'épaule dans l'escalier. En me reconnaissant, ses pupilles grises brillèrent d'affection, et, pendant un instant, il me sembla que sa bouche s'approchait de la mienne comme mue par une impulsion qu'elle contrôla à temps. Nous fûmes bousculés et entraînés par la foule qui se dirigeait vers la sortie. L'enfant nous suivait, accroché aux basques de sa mère. Irène me proposa d'aller dîner.

« Et ton mari ?

– Nous sommes séparés depuis longtemps. »

Ce fut un bref et efficace résumé des trois ou quatre dernières années de sa vie. Elle vivait de son salaire, était en train de terminer ses études d'histoire, son mari lui versait une généreuse pension pour l'entretien de l'enfant. Elle n'habitait plus le quartier.

« J'ai un grand appartement ancien dans le quartier rénové. Je l'ai décoré sauvagement. Ça me coûte quatre sous et c'est très pratique. Je suis près de tout. Tu vis toujours dans le quartier ? Je suis revenue parfois, mais en passant. Tu as publié ta critique de Flores de Lemus ? Pas encore ? Tu es incroyable. Fuentes Quintana va te couper l'herbe sous le pied. J'ai lu dans *Moneda y crédito* qu'il prépare une étude grâce à une bourse de la fondation Juan March. »

Je demandai au gamin ce qu'il faisait. Il me rendit le même sourire reconnaissant que des années auparavant. Il haussa les épaules comme si ce qu'il faisait n'avait d'importance ni pour lui ni pour moi. Irène insista pour qu'il me répondît avec des mots et non avec des gestes. Je lui dis que ça n'avait pas d'importance. A un moment donné, une lueur de réclamation dut briller dans mes yeux, car Irène m'avoua soudain :

« Je ne vis pas seule avec lui. J'ai un compagnon.

– De jeux ?

– Idiot. Quel idiot tu fais. J'ai un amant, quoi ! Tu préfères comme ça ? »

« Il faut qu'on se voie ou appelle-moi. L'un ou l'autre », me dit-elle en me quittant, en m'embrassant sur la joue ; puis elle me glissa dans la main, avec une désinvolture refoulée, une publication clandestine du Parti du Travail. De mon autre main, je caressai furtivement la tête du gamin. Il s'en allait en trottinant aux côtés d'une femme à qui j'avais appris à s'échapper.

1973

Le tueur des abattoirs

La route apparaît avec ses bords décousus. La rivière, à sec, tente de suivre la parallèle mais s'échappe à l'horizon, cherchant l'autre côté de la montagne violacée. Bien que l'on soit en juillet, la brise matinale se réfugie sous la chemise bleue de l'homme qui foule le bord mal tracé du fossé, écrasant des escargots attardés ou shootant dans des cailloux, vers l'ouest. Le soleil pelé émerge, rouge, du bleu livide de la mer. Son espadrille de corde bâille, détendue, et l'homme tente de la rattacher à cloche-pied. Mais il doit finalement mettre genou à terre pour lacer les cordons blancs sur la peau rose, les veines gonflées et le poil rare de la jambe. Il profite de cette halte pour se gratter un vieil eczéma qui fait des croûtes sous ses ongles noirs.

Puis il se relève et, tout en marchant, il ôte de sous ses ongles la crasse et les petites peaux aussi légères que celles du lait. L'eczéma, irrité, s'apaise sous le courant d'air qui entre par le bas de ses jeans, non pas des Levi's ni des Condor, mais un pantalon orphelin de père, œuvre des couturières des magasins Soteras. Le tissu décoloré est devenu une seconde peau sur les cuisses musclées de l'homme percheron. Et de toute sa hauteur, il contemple la tension de la chemise sur ses pectoraux durs et ronds, ainsi que celle des jambes de son pantalon qui ouvrent des brèches dans l'air léger du matin. Il se frappe la poitrine à la manière des karatékas, puis les cuisses, et se met à sautiller sur la pointe des pieds comme un marathonien à l'échauffement. Puis il se remet à marcher à courtes enjambées régulières, tandis que sa langue cherche dans sa bouche sèche le prétexte du premier verre de la journée.

Au rythme de son pas, il voit monter et descendre en haut de la côte, sur un panneau publicitaire, un cube de glace auréolé de gouttes de sueur. Des volets d'un vert passé battent comme de lourds drapeaux agités par un vent d'été. Le mot Pepsi-Cola éclate en lettres de feu. Puis c'est la bière Damm dont la chope virevolte au-dessus de gosiers avides. En haut, un bandeau publicitaire : Hôtel des Trois Frères. Des bouts de chiffon informes qui dansent sur une corde à linge servent de rideau à une pissotière. Avant même de l'apercevoir, il est averti de sa présence par l'odeur du filet jaunâtre qui coule sur la route à la rencontre du client potentiel. L'homme percheron s'immobilise soudain. Il sort de sa poche un paquet de Celtas tout écrasé et en extrait une cigarette miraculeusement intacte.

Comme d'habitude, son sein gauche s'échappe de sa combinaison quand elle allonge le bras pour aller chercher avec la serpillière les dernières miettes de frites ou l'anneau d'intestin qui a servi de peau à une rondelle de chorizo. Pendant que de l'autre main elle replace le fugitif dans son nid, elle aperçoit l'homme planté de l'autre côté du comptoir, qui suit des yeux avec intérêt la main qui vient de remettre les choses en place.

« Jésus, tu m'as fait peur ! Comment tu fais pour marcher sans qu'on t'entende ?

– C'est que tu es endormie.

– Endormie, moi ? Qu'est-ce que je fais à ton avis depuis cinq heures ? »

Elle lui tourne le dos, le temps que ses joues perdent leur rougeur. Elle se met aux manettes du percolateur et, sans se retourner, demande :

« Comme d'habitude ?

– Et n'oublie pas le cognac parce que hier ton frère me l'a fait payer sans me le servir. »

Le filet de cognac Soberano troue la mousse brune du café. L'homme profite du mouvement de la main de la femme pour remonter, du regard, le long du bras, jusqu'à la frontière de l'aisselle, essayant de découvrir l'accès de l'antre tiède. Il passe ensuite au décolleté, où saillent deux os durs entre lesquels s'amorce une vallée profonde, brusquement interrompue par le tablier vert. Les deux paires d'yeux se rencontrent, se fuient et se croisent en tissant une succession de fragments de visages. De nouveau, tourner le dos semble l'ultime recours de la fille, même si elle sait qu'il caresse ses fesses du regard. Elle abandonne le comptoir, lui concédant son profil, écarte un rideau de lanières de plastique et va cacher ses rondeurs dans la salle du restaurant qui sent le renfermé. Un boiteux en maillot de corps se coiffe devant le miroir du buffet.

« Il serait temps que tu te ramènes. Je ne peux pas tout faire. Nettoyer et servir les clients.

– Quels clients ? A cette heure-ci ?

– Celui de d'habitude.

– Le tueur des abattoirs ?

– Le tueur des abattoirs. Je n'aime pas sa façon de me regarder. »

Le peigne reste en l'air comme pour ne pas contredire la main, et le cou fait tourner un visage renfrogné où la suspicion se fait contraction musculaire.

« Il t'a dit quelque chose ?

– Non. Mais il me regarde comme s'il avait un sexe à la place des yeux. »

Du coup, le boiteux accélère le mouvement. Il glisse ses pantoufles sous le buffet, enfile une chemise blanche sur son maillot et se dirige vers le rideau. Mais l'exclamation de la femme lui coupe son élan.

« Merde alors ! Tu as trouvé tes pantoufles où tu les avaient laissées ?

– Je les laisse où je veux, bordel.

– Alors, c'est là que tu les trouveras jusqu'à ce que tu les ranges où il faut, connard ! »

La poitrine gonflée, le boiteux se prépare à crier, quand une voix de vieillard courroucée arrive du patio :

« Vous en êtes déjà là à cette heure du matin ?

– Ne vous mêlez pas de ça, père. Il faut lui apprendre la politesse à cette petite. »

La voix du vieux intervient encore :

« Laisse ta sœur tranquille. Passons les fêtes en paix.

– Non mais, pour qui il se prend celui-là ? Moi, j'ai fait mon boulot, j'ai débarrassé la merde, je ne vois pas pourquoi je supporterais les insolences de qui que ce soit. »

Le boiteux se dirige en boitant vers son tabouret et

adresse un sourire à l'homme qui tire sur sa cigarette, accoudé au comptoir.

« Alors, on va tuer à cette heure-ci ?

– Moi, je ne tue plus. Je te l'ai déjà dit mille fois. Avant, oui.

– Et pourquoi plus maintenant ?

– Parce que pour un peu j'en restais cassé en deux. J'ai une hernie discale. Tout est automatique maintenant. Mais il y a encore deux ans, je devais les tuer moi-même, comme ça. »

Le bras arqué, il fait semblant de serrer de toutes ses forces quelque chose contre lui, tandis que l'autre main assène violemment un coup de couteau imaginaire. Le boiteux ferme les yeux sans cesser de sourire.

« Tu vas perdre tes muscles.

– Je fais attention. Je vais tous les jours au travail à pied au lieu de prendre ma moto. A l'automne, je vais à la chasse tous les dimanches. Et chaque fois que je peux, je fais de la pêche sous-marine, je ramène des moules et des huîtres. Il faut se remuer, sinon on finit avec un cul comme le tien.

– C'est parce que je boite.

– Si c'était à cause de ça, tu aurais le cul du même côté, comme tous les boiteux. Mais le tien, c'est un cul complet, mon vieux. »

Le boiteux ne sourit plus, mais n'en offre pas moins un autre café arrosé.

« Ça compense pour hier : tu m'as fait payer le cognac sans me le servir.

– D'accord. »

Le boiteux se palpe le cul pendant que l'autre sirote son café arrosé.

« Et alors, qu'est-ce que tu fais maintenant ?

– Je suis au contrôle de la dernière phase de la chaîne.

– De quelle chaîne ?

– De production. Pas celle des waters. Regarde. »

Il déplie une serviette en papier sur le comptoir, demande le stylo des additions qui traîne sur le bord d'une assiette pleine de *patatas bravas* et dessine un fouillis de rectangles enfilés sur une ligne droite.

« Ici, on les tue. Ils passent là et on les laisse se vider de leur sang. Après, on les coupe en deux, on leur retire tout ce qui peut servir en charcuterie, et on me laisse l'animal ouvert par le milieu et décapité. Là, on les lave. Après, on les suspend en rangs. J'arrive le matin, je les compte, je les marque et je dépèce ce qui reste. On n'arrête pratiquement pas de travailler, surtout l'été. L'abattoir a beau être petit et vétuste, dedans il est bien équipé, et en ce moment il y a beaucoup de touristes.

– Et tu ne te mets pas un petit jambon à gauche de temps en temps ?

– Quel jambon ? Parce que tu crois que les cochons ils meurent avec les jambons déjà tout séchés ? Il y a un contrôle très sévère, surtout des pattes. A la rigueur, tu peux de temps en temps piquer un filet ou un morceau de lard. Mais les pattes, c'est mathématique. Combien de pattes a un cochon ? Quatre. Combien de cochons on tue à l'abattoir ? Cent. Donc multiplié par quatre, dis combien.

– C'est facile. Quatre fois cent.

– Vas-y, dis-le. On va voir si je raconte des histoires.

– Quatre cents.

– Exactement. Et on les numérote, et on les recompte. Comment je pourrais en piquer un ? En plus, ce n'est pas à la portée de tout le monde de sécher un jambon. Il y a des machines pour ça. Parfaitement, ça se fait aussi à la machine. »

L'incrédulité peut se lire dans les yeux du boiteux.

« Des machines, je n'exagère pas. Qui les sèchent en quelques jours et par millions.

– C'est pour ça qu'ils ont ce goût-là. Qu'on dirait du plastique.

– Du plastique. Peut-être bien qu'ils ont un goût de plastique. Mais j'aimerais qu'on me dise comment on pourrait couvrir toute la demande de jambon qu'il y a. C'est comme tout. Comme ces pantalons. Je suis sûr qu'ils font entrer la toile d'un côté et qu'il en sort un pantalon tout fait de l'autre. S'il fallait faire tout un à un, il n'y en aurait pas pour tout le monde. De nos jours, il y a assez de jambon pour tout le monde. Et si tu ne peux pas le payer si cher, eh bien tu ne manges pas de jambon et tu en achètes du moins cher. C'est pareil pour toute l'alimentation en général. Avant, la sauce tomate, il lui fallait ses heures de mijotage. Maintenant, tu l'achètes en boîte, dix minutes dans la casserole, et hop. Et c'est comme ça qu'iront les choses, et c'est comme ça qu'elles vont. C'est le prix du progrès. C'est comme pour l'abattage. Avant, c'était tout un art. Le cochon arrivait complètement déchaîné. Il y en a un qui l'attrapait par la queue, un autre qui lui filait un grand coup de pied dans les côtes pour le calmer, et deux qui le prenaient par les pattes de derrière. C'est là que j'intervenais. Comme les toreros. Exactement. Parce que l'abattage, c'est ce qui ressemble le plus à une corrida. Les aides te préparent la bête bien comme il faut, toi tu arrives, et tu fais le travail. Je n'ai pas arrêté depuis l'âge de quinze ans. Et même dans mes rêves, je me répétais le geste de serrer la tête du cochon contre moi et de lui planter le couteau dans la gorge. Ce n'est pas un métier bien vu, les voisins te regardent comme un criminel. Un jour, une voisine a dit à ma mère : « Vous n'avez pas peur qu'il s'habitue à tuer ? » Et ma mère lui a répondu que si elle continuait, elle lui casserait la figure. Sans elle, je ne serais jamais arrivé à rien. D'abord, il faut voir ce qu'elle a trimé, la pauvre femme, pour me nourrir et que je sois costaud. Je me souviens de ces années de famine, de famine pour tout le monde, mais pas pour moi. Ne serait-ce qu'une assiette d'huile avec du sel et du paprika pour y tremper le pain. Et des baffes. C'est comme ça que j'ai grandi et que je suis devenu fort comme un taureau. Après, au gymnase, le prof de gymnastique suédoise se foutait toujours de moi quand j'étais aux anneaux. « Tout ça, ça se dégonfle. »

» Il me tâtait les biceps et la poitrine, ce grand pédé. Moi, motus. C'était déjà assez dur de ne pas lui filer un marron. Et je travaillais comme une bête aux anneaux. A la barre fixe. Et il fallait faire l'arbre droit. Je me souviens du jour où j'ai réussi à le faire sur une seule main, sur un tabouret, au milieu de la place du Diamant. En voyant ça, un type balaise m'a dit d'arrêter ces trucs de pédé et de faire un bras de fer avec lui. Va pour le bras de fer. Ça n'a pas été facile, mais je l'ai laissé avec un bras en capilotade. « Quinze ans. Oui, monsieur. J'ai quinze ans.
– Un vrai petit ange ! »

» C'est là qu'il m'a proposé de venir travailler dans son

abattoir. Ça, c'était un abattoir. C'est pas rien de donner à manger à une ville comme Barcelone. Et c'était un travail comme un autre, respecté même, parce que les gens de là-bas sont moins bornés, et ils savent que si toi tu ne tues pas, eux ils ne mangent pas. Je n'aurais pas dû venir ici, même si c'était pour y devenir chef. “ Vous n'avez pas peur qu'il s'habitue à tuer ? ” Quelle connasse ! Heureusement que ma mère lui a cloué le bec, parce que j'avais tout entendu depuis les chiottes et j'étais sur le point d'exploser. Par contre, ma femme, c'est une dégonflée. Des femmes comme ma mère, il n'y en a plus. Le moule est cassé. »

Le vendeur de céramiques a commencé à étaler sa marchandise sur le trottoir. Les bustes d'Aphrodite en albâtre alternent avec des piles d'assiettes décorées de roses des vents, des jardinières, des pots de fleurs, des porte-parapluies en plâtre rehaussés de motifs afro-cubains, des blasons héraldiques en pierre synthétique imitant le bronze, des azulejos de Manisę ou de la Bisbal aux tons bleus, verts et ocre, des chapeaux et des corbeilles en osier, des paniers en rotin, des têtes de lit en feuilles de palmier et roseau tressé, conçues dans un cauchemar par un Valencien en pleine crise de malaria. Et aussi des sacs profonds pour dames en bikini, destinés à recueillir l'étui à cigarettes, le paquet de Tampax, un tome des œuvres complètes de Vicki Baum, une livre de tomates, un petit miroir, deux bouteilles d'huile citronnée pour avant le bain, et deux autres d'huile de fleurs d'oranger pour après, un matelas dégonflé, deux bikinis pour le cas où, une demi-douzaine de cartes postales, un stylo, un briquet, la lettre du mari, la marinière du petit et le bonnet en moire de la petite.

L'âne du vendeur de cruches dodeline de la tête dans son picotin. Soudain arrivent les camionnettes des livreurs de poisson, et le marché couvert devient aussi visqueux que bruyant. Les pains ronds et humides roulent sur les étagères en bois bien lavées. Les maraîchères des villages avoisinants installent la fragile géométrie de leurs cageots sur lesquels vont s'empiler les fruits de saison, les œufs frais, les escargots baveux sous le grillage qui leur sert de clôture, les légumes briqués pour l'occasion.

Puis c'est au tour des portes des bazars de s'ouvrir, de ces bazars où depuis toujours pendent des shorts de tergal, des tee-shirts à vingt douros dont les couleurs résisteront au soleil et à tous les lavages, et qui porteront le message sérigraphique « I love you » ou « Harvard University », ou le symbolique « Fais l'amour pas la guerre », ou le contraire : « Ne fais ni la guerre ni l'amour ».

Quand s'ouvrent les pharmacies, les pâtisseries et les débits de boissons, il en sort un magma de sciure et de désinfectant qui acidifie le goût salé venu de la mer depuis l'aube et qui le matérialise. Dans les vitrines des pâtisseries resplendissent le plum-cake couronné d'un diadème de fruits confits, ou le fragile édifice du millefeuille rempli de crème au beurre, ou la beauté plastifiée des éclairs au chocolat, saupoudrés de sucres mystérieusement verts, rouges ou bleus.

La rue Principale est déjà presque le souk habituel de tous les matins, mais elle appartient encore aux vendeurs. A cette heure, les clients s'ébrouent dans les langueurs de l'été, le corps entre deux soleils et la vie entre deux années de travail. Le tueur des abattoirs la remonte comme tous les matins, il enregistre personnes et objets tout en gardant dans la tête la vision de la chair propre et tremblotante des cochons pendus, qui viennent à lui en lente formation paramilitaire. Il s'arrête devant le bistrot où grillent à une chaleur invisible des poulets embrochés. Un enfant au teint doré par la même chaleur invisible lui tend un hot dog. Ses mains triturant poulets et saucisses, il fait tout à la fois, les ficelle, les embroche, confectionne des sandwiches à la viande ou au chorizo, écorche des lapins sanguinolents et corrige à la craie les prix affichés sur une ardoise fixée au mur, ce qui ne l'empêche pas de saluer l'arrivée ou le départ des clients, de siffler, chanter, regarder, rigoler et faire des clins d'œil de connivence devant l'exhibition de jarrets des paysannes perpétuellement endeuillées quand elles se baissent pour corriger la symétrie des poivrons ou la position d'un poulet vivant et attaché, qui picore des yeux la réalité menaçante de ses ennemis potentiels.

D'un seul coup de mâchoire, il mutile la moitié de son édifice de pain et de saucisse, le tueur des abattoirs. Pendant un moment, il suit du regard le rémouleur qui pousse son attirail jusque devant le bistrot du coin, de fait à peine un comptoir à l'air libre, où somnole un Tunisien fuyant les bas revenus *per capita.* Le tueur donne un coup de poing sur la table et le Tunisien tombe de l'arbre de ses rêves, brisant ainsi les os de l'oisillon niché dans sa tête. Il répond au sourire du tueur des abattoirs tout en lui remplissant une énorme chope de bière. La pomme d'Adam du Tunisien monte et descend au rythme de la mastication du tueur qui finit d'engloutir son sandwich. Et sans transition, il s'expédie un océan de bière dans le fond du gosier, décollant les restes de nourriture mêlés de salive et les propulsant au fond de son estomac dans une hécatombe de mousse blanche et jaune.

Puis il rote, le tueur des abattoirs. Il force le passage d'une allumette entre l'émail de ses dents. Retire le cure-dents de fortune, et contemple le mélange de sang et de salive qui a formé une petite boule sanguinolente avec la mie de pain. Puis, fasciné, il admire la petite planète embrochée sur l'allumette et se la remet dans la bouche en jouissant de la saveur du pain mêlé à son propre sang.

« Si on mange un sandwich, c'est parce qu'on a pu se le payer. Personne ne fait de cadeau à personne. Un jour, mon père m'a invité à boire une bière. A cette époque, je faisais mon service militaire. Eh bien il m'a dit : “ Regarde bien cette bière que tu bois, et dis-toi bien que chaque fois que tu en boiras une, tu devras te l'offrir. ” Il avait sacrément raison, mon père. Les gens qui savent qu'ils doivent payer ce qu'ils consomment sont les seuls en qui on peut avoir confiance. Par contre, ceux qui ont l'air de vivre de l'air du temps, en réalité ils vivent de magouilles ou aux crochets de quatre connards. Moi, j'ai toujours vingt douros dans ma poche pour les cas d'urgence, et s'il faut mille pésètes, eh bien ce sera mille pésètes, parce qu'un homme qui ne peut pas avoir mille pésètes dans son portefeuille ne mérite pas de s'appeler un homme. Il n'est rien. Ma femme voulait contrôler tout ce que je dépensais, même mes clopes ; j'ai piqué une crise qu'elle en tremble encore : “ Si tu regardes encore une fois dans mon portefeuille, je te fous une raclée qui te fera rebondir sept fois contre le mur. Mais si tu y touches écoute-moi bien, si tu y touches je te tonds et je te fous à la rue à coups de pied. » Ça lui a coupé ses envies, c'est moi qui te le dis. Ma mère m'a fait des reproches, mais elle m'a donné raison. Le coup de la raclée, elle trouvait que c'était trop, mais que, effectivement, un homme qui n'a pas mille pésètes dans son portefeuille ou qui ne sait pas les dépenser, ce n'est pas la même chose, ce n'est pas un homme. J'en ai vu des types de la haute au Club nautique d'Estartit, des gars pleins aux as, eh bien, ils trouvaient très chic de sortir sans un sou sur eux. Tu commences par sortir sans fric dans ta poche et tu finis comme un dégonflé. C'est ce que je lui ai dit à cette salope : « Moi, j'ai toujours mille pésètes pour inviter qui je veux à boire un 'ouiski'. Même toi, je t'invite. » Et elle riait la putasse, et elle disait : « Toi, t'es un dur ! » la poivrote indécrottable. On ne sait plus quoi faire quand elles se mettent dans cet état, on ne sait pas s'il faut continuer à les traiter comme des dames ou leur balancer une rouste histoire de leur fermer le clapet. Je lui avais fait le coup de l'auto-stop histoire de blaguer, parce que je n'avais pas besoin de voiture. Je me rendais tranquilos au travail comme tous les jours, sans rien demander à personne, quand tout d'un coup ça m'est venu à l'idée, parce que moi, j'aime les blondes. Et elle s'arrête, la salope. « Où vas-tu ? – Au boulot, mais si vous avez une meilleure idée... – Moi, j'allais me coucher. – C'est pas une mauvaise idée. » Et elle se marrait. Elle m'ouvre la portière et je monte à côté d'elle. « Tu m'invites à boire un verre ? – A cette heure ? » Une estivante plus imbibée qu'une cerise à l'eau-de-vie. J'ai voulu lui montrer que j'avais de l'éducation et au lieu de mettre directement ma main sur les petits nichons bien dorés qu'on voyait dans son décolleté, je lui ai caressé la nuque. Elle m'a effleuré la main avec ses cheveux et m'a embrassé le bras. C'est comme si j'avais reçu un coup de poignard dans les couilles et ça m'a remonté jusqu'au cerveau. »

Sur les étals de marbre aussi blancs que des nouveau-nés, les caisses de bois humide s'empilent, rondes ou rectangulaires, pleines de rascasses, turbots, congres, seiches, daurades, crevettes, langoustines et même, tel un monstre pêché au hasard, un homard noir qui agonise sur un tas de petits poulpes presque transparents. Les mains protégées par des gants de caoutchouc, recouverts des lentilles sales des écailles, les marchandes de poisson prennent plaisir à plonger leurs doigts dans ces montagnes de poissons et de crustacés, pareils à des viscères visqueux et mouvants. « Compris, Reina ! *Goiti quin peix tan fesc !* » La glace qui fond des étals coule goutte à goutte, formant de petites flaques dont l'eau se mêle à la croûte qui, avec le temps, s'est formée sur le sol, une croûte faite du sang et des humeurs glauques échappées des entrailles des poissons que les poissonnières vident pour satisfaire les clients les plus délicats. Le ruissellement d'eau sale éclabousse les chaussures d'été et fait peur aux chats qui se faufilent entre les jambes des clients, à l'affût du moindre petit poisson tombé d'une balance. Le tueur des abattoirs s'arrête devant le stand de la vendeuse de poisson et fixe avec insistance sa poitrine cachée sous le tablier blanc amidonné. La poissonnière fait comme si de rien n'était, occupée qu'elle est à peser deux kilos de sardines pour une paysanne du marché, tout en s'apprêtant à servir une vacancière qui désire douze belles langoustines de même taille et une demi-douzaine de soles, identiques également, si possible.

« Ne partez pas, madame, je m'occupe de vous tout de suite. »

D'un rapide coup d'œil, la marchande de poisson fait comprendre au tueur de ne pas bouger. Ses mains ne cessent de s'agiter et elle parle et parle avec la paysanne et avec la dame qui semble éprouver une fascination quasi zoologique pour les fruits de mer.

« Dis-moi, et pourquoi les langoustines n'ont-elles pas d'œufs ? Elles ne sont peut-être pas fraîches ?

– Doux Jésus ! Comment pouvez-vous me dire une chose pareille, madame Portell ? Est-ce que je vous ai déjà trompée sur ma marchandise ?

– Non, mais ces langoustines n'ont pas d'œufs. »

La marchande de poisson et le tueur des abattoirs échangent un regard lubrique, et rient tous deux sous cape sans que Mme Portell s'en aperçoive, d'autant qu'elle dirige maintenant le microscope de ses yeux vers une scorpène, qui semble avoir survécu à la formation des océans. Cuirassée de piquants et d'écailles, pareille à un bouclier, la scorpène semble le moins comestible des poissons. La poissonnière devance la nouvelle curiosité de la dame.

« Emportez-la, elle est toute fraîche. Elle vient de la criée d'hier aux halles.

– Sûr que je vais la prendre. A la maison, on l'adore mijotée avec du cognac et servie froide. Elle a la chair tellement ferme qu'on croirait manger de la langouste.

– Madame est un cordon-bleu, commente la marchande de poisson à voix haute, à l'intention du tueur.

– Je ne déteste pas cuisiner. Pourtant je ne le fais pas souvent. Je n'ai pas le temps. Mais si on ne s'y connaît pas soi-même et qu'on n'est pas tout le temps sur le dos de la cuisinière...

– Il vaut toujours mieux avoir été à bonne école. Je vous mets la rascasse ?

– Tu lui donnes un nom nouveau tous les jours ? Scorpène, rascasse, quoi d'autre encore ?

– Il y en a par ici qui l'appellent *peix roig.*

– Mets-la-moi. Non ! ne la coupe pas. Écaille-la et vide-la. Je veux la tête à part pour faire une soupe. »

La poissonnière attrape le racloir et fait jaillir de la rascasse une pluie d'écailles qui giclent sur la dame et sur le tueur des abattoirs. Mme Portell fait un bond en arrière en poussant un petit cri amusé, ce qui crée une certaine complicité avec le tueur qui regarde son décolleté de femme de cinquante ans, plein de sillons bronzés. La poissonnière termine sa vente et le tueur lui dit de venir avec lui. Elle se met à regarder de tous les côtés.

« Mais t'es complètement fou. Tu crois qu'on est là pour se mettre au garde-à-vous dès qu'un homme se présente ? Qui va tenir mon stand ?

– Tu l'a déjà fait. »

Les joues et les yeux en feu, elle demande à la vendeuse du stand d'à côté de servir ses clientes pendant une demi-heure. L'autre regarde le tueur des abattoirs et sourit, tout en faisant oui de la tête. La poissonnière retire son tablier, découvrant une blouse sous laquelle roulent deux seins trop vastes pour tenir dans les mains d'un homme, et une jupe qui couronne ses hanches de danseuse de rumba dominée par l'envie de se trémousser et de remuer les fesses.

« Sors le premier. Les gens d'ici n'ont pas leur langue dans leur poche. »

Le tueur des abattoirs sort du marché, la tête et l'entrejambe en feu à l'idée d'être suivi par cette femelle bien en chair, qui, pendant ce temps, se frotte pour enlever les dernières écailles et regrette d'avoir gardé ses sabots. Ils quittent le labyrinthe et ses petits marchés de campagne, montent par les ruelles qui mènent au château et au mirador. Le tueur des abattoirs grimpe quatre à quatre un escalier peint à la chaux bleue et attend que la femme, haletante, arrive à sa hauteur pour lui presser cruellement ses seins. Elle ne se plaint pas. Elle sort une clef, et, le temps d'ouvrir la porte, le tueur lui a déjà arraché la jupe et tire sur la culotte bleu clair comme si elle était élastique.

« Tu vas me la déchirer », proteste-t-elle d'une voix cassée. Elle se retourne pour voir comment le tueur baisse son pantalon, s'approche le sexe dardé, la renverse sur une natte verte et la pénètre en parcourant la distance la plus courte d'un point à un autre. Il ne lui a même pas enlevé ses sabots.

L'homme lave son instrument, le palpe, le contemple comme s'il s'agissait d'un enfant pendu à son entrejambe, il dialogue même avec le cylindre de chair, se remémorant ses prouesses et regrettant des défaites uniquement imputables à la mauvaise foi et aux défauts rédhibitoires de sa partenaire.

Sa montre lui indique qu'il a une demi-heure de retard, mais le tueur des abattoirs se laisse tomber nu comme un ver sur un sofa granuleux de plastique vert, sa peau colle au Skaï et fait des bruits de succion quand il bouge pour prendre des cigarettes dans son pantalon jeté en tas sur le carrelage rouge. Il aperçoit par la fenêtre les toits du village, quelques terrasses où sèche du linge, et une véritable mosaïque de pots de géraniums, d'œillets d'Inde, de cactus et de bougainvillées. Le tueur des abattoirs regarde son pénis se rétracter, tel un petit animal à la recherche de ses origines. C'est de la peau. « C'est de la peau, avait-il dit à sa femme, qui lui avouait, avec des larmes dans les yeux, qu'elle ne voulait pas le sucer. Il te dégoûte ? C'est de la peau. Ou tu le fais ou une autre s'en chargera, à toi de décider. » Elle a eu du mal à se décider. Plutôt que sucer, elle le saisissait entre ses dents, en évitant de le toucher avec la langue et le palais. « C'est comme une sucette, ne fais pas l'imbécile. Fais comme si c'était une sucette. » C'est de la peau. « C'est de la peau, dit-il à cette fille-là quand elle le saisit d'un geste amusé et l'approcha de ses lèvres. – De la peau, j'aurais jamais cru ! » Elle prenait tout à la rigolade. « Dis donc, tu prends jamais rien au sérieux ? – Les vendredis de cinq à six. » Cette fille-là savait ce que c'était qu'un cul et comment s'en servir. « Elle se trémoussait comme un môme. » Quand le tueur la voulait sous lui, elle se mettait dessus et s'embrochait, convertissant l'homme en une source de plaisir dont elle disposait selon son caprice. Quand il cherchait avec ses lèvres la vulve humide, c'était elle qui changeait de position et lui avalait pratiquement le sexe tout en le lui massant entre la langue et le palais. Le tueur des abattoirs sortait vidé de ces rendez-vous de huit heures du matin, débutant toujours par le rituel de l'auto-stop quand elle revenait de ses rencontres avec un amant impuissant, qui passait l'été sur la côte, trois villages plus au nord. « Tu couches avec lui ? – Oui. – Et il ne bande pas ? – Non. – Alors ? – Et toi, tu bandes toujours, superman ? – Toujours. Si la fille en vaut la peine, toujours. – Cochon. – Qu'est-ce que vous faites, alors ? – On parle. Et puis on fait l'amour aussi, mais d'une autre façon. – Mais après tu viens me chercher. – Ça n'a rien à voir. – Et ton mari ? – Mon mari va bien, merci. – Il est au courant ? – Mais qu'est-ce que ça peut te faire ? Il s'en doute ou il le sait. Ça n'a aucune importance. – En tout cas, je ne sais pas dans quel monde je vis, mais le tien... – Arrête, petit con, fais ce que tu as à faire et ne pense à rien, chéri. – Et quand tu rentreras à la ville, comment on va faire ? – Mais qu'est-ce que tu racontes, tu veux te marier avec moi, peut-être ? Tu ne sais pas ce que c'est qu'une rencontre de vacances ? » Pendant quinze jours, ils ont recommencé le jeu de l'auto-stop et de l'entrée dans la chambre-studio de la fille par la porte de derrière. « Qu'est-ce que tu étudies ? – Rien en particulier. Je lis, je dessine, je peins. Tiens, regarde. » Elle lui montre une cruche tapissée de coupures de presse, de mots écrits, de peinture. Le tueur dit : « Ça, c'est un collage. – Putain, il arrive même à reconnaître un collage ! – Tu me prends pour un con ou quoi ? » Le seizième jour, la voiture est arrivée à la même heure, mais elle a ignoré le pouce levé de l'auto-stoppeur. Il pensa s'être trompé de voiture ou bien qu'elle était distraite. « A tous les coups elle était bourrée. Un de ces jours, elle va avoir un accident ! » Il décida de ne pas aller à la villa parce qu'il ne voulait pas prendre le risque de se trouver nez à nez avec le mari en rentrant dans la chambre par la fenêtre, ou par la porte principale. Il attendit le lendemain. La voiture passa de nouveau. C'était clair. Elle riait, mais ne s'arrêta pas. L'auto le nargua jusqu'au tournant, puis disparut. Mort de froid et de surprise, le tueur resta comme paralysé, sa cigarette collée à la lèvre. Il finit par la laisser tomber sur la route. L'homme laissa passer un jour avant d'aller rôder dans le quartier résidentiel, à la recherche de la femme. Il voulait lui dire ses quatre vérités. Une après-midi, il la vit sortir avec un panier, la démarche souple et vive, toute bronzée. Une splendide petite femme de luxe dans un décor végétal, un décor de vitrine dans le crépuscule d'une zone urbanisée où la moindre parcelle doit couvrir cinquante mille pieds carrés, pour que les clients n'y connaissent pas le traumatisme de l'entassement petit-bourgeois. Les sourcils froncés, le tueur des abattoirs allongea le bras pour lui saisir le poignet et lui lança sur un ton tranchant : « Tu crois pouvoir te foutre de moi ? » D'un mouvement brusque, la femme se libéra de la prise et poursuivit son chemin. De dos, elle lui dit : « Ne m'emmerde pas et ne me colle pas. Oublie-moi. » Le tueur des abattoirs essaya de la suivre calmement, pour entamer une conversation dure mais rationnelle. Mais elle ne cédait pas d'un pouce et n'ouvrait plus la bouche. Le tueur finit par lui hurler qu'elle était une sale pute et par courir pour la devancer de quelques mètres et pouvoir l'insulter de face, de plus en plus rouge, la voix de plus en plus cassée à mesure qu'il sentait les sanglots venir. Il se mit à pleurer quand elle partit en voiture, lui jetant un dernier regard, plus exaspéré qu'indigné.

« Tu vis de tes rentes ? Tu ne devrais pas être au travail ? »

L'aiguilleur de trains accepte une cigarette de l'homme percheron.

« Je ne reçois d'ordre de personne et je fais ce que je veux.

– Tu as raison, il ne faut travailler que quand on en a envie, pas quand les autres le veulent.

– Pour vous dire toute la vérité, le travail ne me fait pas peur et même il me plaît. Mais j'ai mon rythme. Petit à petit, ça n'empêche pas que je m'applique.

– Tu as raison. Si tout le monde travaillait comme ça, les choses iraient peut-être mieux et les gens seraient plus contents. J'ai lu dans un journal que, dans certaines entreprises, ils ont assoupli les horaires.

– Ça veut dire quoi ?

– Eh bien que les gens viennent travailler à des heures différentes selon leurs modes de vie. S'ils se couchent tard, ils commencent plus tard que les autres tout en faisant le même nombre d'heures. Et tout le monde est content.

– Aux États-Unis ?

– Non, à Barcelone.

– A Barcelone, vous êtes sûr ? C'est nouveau alors. Parce que quand je travaillais là-bas, aux abattoirs, ça n'existait pas.

– Bien sûr, ce n'est pas toujours possible, tout dépend du métier. Chaque métier a ses contraintes.

– Je dois dire qu'il n'y a pas plus commode que le mien. Tant que je fais le boulot, je peux arriver une demi-heure en avance ou une heure en retard. Et pourtant à vous, il ne vous manque jamais de viande sur les marchés ou dans les boutiques ? Pas vrai ?

– C'est vrai.

– Il faut faire son boulot. Mais à sa façon. Et quand on travaille à sa façon on est plus content. Il y a beaucoup d'emmerdeurs qui dirigent le travail des autres. Ils ne se rendent pas compte qu'il serait bien mieux fait s'ils laissaient les gens tranquilles.

– Tu as bien raison. Tu crois que si on m'envoyait un inspecteur pour me ficeler sur ma chaise, je travaillerais mieux ? Je sais bien quand les trains passent et je mets la chaîne quand il faut la mettre. Je ne vois pas ce que pourrait bien gagner la compagnie à m'obliger à rester toute la matinée à me tourner les pouces.

– Bon, merci pour la conversation, mais maintenant il faut que j'y aille. Je dois débiter six ou huit bêtes avant de manger.

– Mais tu ne livres pas les animaux entiers ?

– Il y a un service spécial pour les hôtels de la côte. C'est ce qui me plaît le plus. Je vais au travail le soir et je lave les cochons pour qu'ils soient bien propres. Moi, je ne fais que les porcs et les agneaux, c'est à Gérone qu'ils centralisent presque tout le bœuf. Après le matin, je termine tranquilos, il ne reste que les pièces à débiter. Sans se presser. C'est que j'ai une hernie discale, alors il ne faut pas que je force.

– Soigne-toi. Ne te casse pas les reins ; de toute façon personne ne t'en remerciera, ni l'entreprise ni la famille.

– Ni les gens.

– Ni les gens, c'est vrai. »

Avec un sourire de résignation, le tueur des abattoirs prend congé et se dirige vers la clôture blanchie à la chaux qui entoure le complexe des abattoirs. Des bâtiments bas, peints en blanc ou laissés à nu avec leurs briques ébréchées, composent toute une saga architecturale. Le premier bâtiment moderniste, avec son carrelage fêlé et ses brèches profondes dans le rebord de sa corniche ; le hangar d'après-guerre, crépi, qui n'a jamais été fini de construire ; la dernière dépendance, construite il y a deux ans, impeccablement blanchie à la chaux, encore que des tâches d'humidité aient laissé des traces jaune pipi dans les coins. « Je suis mieux ici que nulle part ailleurs. Seul devant la chaîne des porcs sans tête et sans pattes, avec cette viande si rose et si blanche qu'on voit qu'elle est tendre, et qui s'ouvre comme un livre quand on y met le couteau. C'est une viande belle, reconnaissante, surtout quand elle a bien réparti ses graisses là où il faut. Ce qui me met en rogne, c'est quand elle a des mèches de graisse enfouies jusque dans le maigre. C'est dégoûtant. Ça ne ressemble même plus à de la viande. Bien propre et flambé, le corps du cochon est beau comme une femme nue qu'on couche sur soi, en croix sur son ventre, et dont on admire les rondeurs, çà et là. Le renflement des fesses qui descend pour se fondre dans les cuisses, la peau brillante qui passe de la taille tiède aux fesses froides, des fesses mouvantes aux cuisses dures. Quant à la peau de l'intérieur des cuisses... Dieu. Je tremble rien que d'y penser. C'est comme si elle était faite d'autre chose. Je leur dis toujours : " De quoi êtes-vous faites par là " ? Ça m'énerve quand ma femme me répond : " Tu dis des bêtises." Mais tout bas, de peur de me mettre en colère. Ce que je n'aime pas, par contre, c'est le talon. Les femmes ne devraient pas avoir de talon, ni de doigts de pied. Divinement faites comme elles sont partout, elles n'en ont pas moins des talons qui font penser à des moignons et des orteils pleins de cors et de bosses roses. C'est presque répugnant. Ce n'est pas que l'autre avait de beaux talons ou des doigts de pieds dignes d'être sucés, mais c'était autre chose. On voyait qu'elle en prenait soin et qu'elle marchait pieds nus le plus souvent possible. “Tu dois avoir toujours les pieds sales. – Il y a de la moquette chez moi. – Des tapis ? – De la moquette. C'est comme du tapis, mais partout. – Dans les cabinets aussi ? – Aussi. – Elle doit pourrir avec l'eau et tout le reste. – C'est une moquette spéciale. C'est astucieux d'avoir de la moquette dans les waters, ça évite d'avoir froid aux pieds. Et c'est beau à regarder. Parce qu'on a beau en prendre soin, une salle de bains, ça ressemble toujours à une pissotière. – Pourquoi, dans tes chiottes, on peut pisser debout ? – Les toilettes, c'est psychologique, ce n'est pas la peine qu'elles soient comme celles d'un cinéma ou d'un terrain de football. – Vous pensez à tout, vous. – Qui, vous ? – Vous, les riches. – Le comble, je suis en train de faire un marxiste-léniniste de cet animal. – Moi, la politique, je m'en fous. Je n'en attends rien. »

Une pointe d'angoisse s'empare un instant du tueur, à l'approche de la grille. Comme empalée sur la pointe des lances noires, l'enseigne annonce « Abattoirs municipaux ». L'étau qui lui serre la poitrine s'empare aussi de ses jambes, ralentissant les pas qui le rapprochent de la porte. Avec la paume d'une main, il répartit la sueur de son front sur ses tempes et ses cheveux, et de l'autre, il pousse la grille qui ne bouge pas. Il farfouille dans une de ses poches de pantalon et en sort une clé forgée il y a longtemps, qui arrache un grincement sonore à la serrure. Entre la végétation desséchée, il prend un chemin qui fut pavé il y a cinquante ans, puis ralentit l'allure pour allumer une cigarette et regarder le paysage : la rivière qui paresse entre les peupliers, des vergers de pommiers protégés de la tramontane par la ligne de chemin de fer. Au loin, les montagnes qui finiront un jour par s'effondrer dans la mer du haut de leur propre falaise dessinent la silhouette d'un évêque gisant sur le sol, comme une langue s'allongeant sur les basses terres de la vallée, et les murs d'un château en ruine forment comme un anneau abbatial sur les mains du gisant. Une procession de camions transportant des brugnons et des pêches sort de l'entrepôt blanc et vert situé à côté de la pépinière Can Filipoi : lauriers, eucalyptus, palmiers, myrtes, cyprès et magnolias, une mosaïque de petits pots enterrés où poussent le romarin et la verveine, la menthe, la lavande, les cactus, les marguerites et les œillets de poète entre des haies de lauriers-roses et de belles-de-nuit blanches, mauves, jaunes, rouges, fermées par le soleil qu'humidifie la brume. Est-ce la nausée ou l'humidité qui fait transpirer le tueur des abattoirs ? Bien qu'il apprécie la pénombre que lui offre soudain la porte ouverte de la chambre de la mort, un grondement l'arrête un instant, le temps que la fraîcheur de l'endroit lui redonne conscience de la réalité. Avant de s'enfermer, le tueur des abattoirs contemple le paysage comme si c'était la dernière fois, et s'imprime dans ses yeux la tache fugace d'un camion de l'entreprise Roura : des pêches, des brugnons, des pastèques, des melons, des abricots et, grandes comme le poing, des nèfles dont le tueur raffole comme de fruits jouets, avec leurs chambres secrètes et leurs peaux cachées, leur pulpe acide de couleur irréelle au charme trouble qui pourrait aussi bien l'entraîner vers les profondeurs de l'océan. Ça sent la viande saignée. Le tueur des abattoirs se rend au vestiaire où l'attendent des bottes de caoutchouc et un filet de corde. Il se lave soigneusement les mains et les avant-bras dans un profond évier en ciment et décroche du mur une paire de gants en caoutchouc, il les met et choisit, dans l'attirail de poignards variés, de couteaux de boucher, de tranchoirs, de billots et de piques, un couteau courbe et pointu qu'il aiguise sur une meule que l'usure a convertie en boomerang. Le fil du couteau jette un éclair qui coupe le regard. Il empoigne son matériel et se dirige vers le fond, plus sombre, de la salle, où l'on devine une machinerie de rails installés au plafond. Il appuie sur le vieil interrupteur de bakélite écaillé, et la lumière révèle soudain la chaîne où sont accrochés des corps dénudés, ombres de chairs vidées par d'implacables couteaux. La pression d'un doigt ganté sur un bouton de plastique suffit pour qu'un lent ronron fasse vibrer le bâtiment et que des corps sans tête et sans pattes défilent devant le tueur. Il laisse passer trois cochons vides et appuie de nouveau sur le bouton quand un quatrième corps s'avance, offrant tout son poids de mort. Il n'a ni tête ni pieds, mais deux seins de marbre aux mamelons gonflés et violacés. Bien qu'il ait été rasé, il reste quelques poils sur le pubis, annonçant un profond sexe de femme. Le tueur des abattoirs pose son couteau sur la naissance de l'aine gauche et le fait pénétrer sans effort.

« Ça ne saigne plus », pense-t-il, et il commence à couper.

1974

Le lâche assassinat d'Agatha Christie

C'est James qui, comme d'habitude, frappa à la porte de chêne de la bibliothèque à midi pile, portant le plateau sur lequel se trouvaient la bouteille de porto et un verre Rossenthal en cristal de roche. Comme il ne recevait pas de réponse, il frappa de nouveau et, comme il ne recevait toujours pas d'autre réponse que l'écho du chêne, il tourna, de sa main libre, le bouton de bronze taillé et pénétra dans la pièce.

« Mon Dieu ! »

Agatha Christie était à moitié écroulée sur un sofa Oxford tout à fait assorti à l'architecture Tudor de la grande maison, et il était évident qu'elle était morte, car elle ne faisait pas le moindre effort pour lever la tête et guetter, avec son avidité coutumière, l'arrivée de l'appétissant plateau.

« Excellent porto ! »

Avait l'habitude de commenter Mrs. Agatha, tout comme les personnages de ses romans, et James complétait le rituel en acquiesçant d'un hochement de tête à l'observation quotidienne de sa patronne. James disposait en outre d'une autre preuve de la mort de Mrs. Agatha, peut-être la plus significative. De sa nuque, comme un curieux peigne, émergeait un poignard, ou plutôt une de ces dagues serbes que la dame collectionnait dans son salon géorgien. James avança de quelques pas et observa de près l'insertion du poignard. Ensuite, il regarda à gauche et à droite, et même derrière lui, et sans plus hésiter avala le verre de porto qu'il portait sur le plateau. Il revint sur ses pas et, une fois dans le couloir, tenta de retrouver sa voix pour prononcer la phrase la plus adéquate pour la circonstance :

« Au secours ! »

Cela s'entendit à peine. James convint avec lui-même qu'il l'avait dit sans conviction, et, après s'être raclé la gorge, il prononça avec une certaine emphase, encore que raisonnablement exagérée :

« Venez, venez vite ! Quelque chose de terrible est arrivé ! »

Il fut satisfait de ce qu'il avait dit, mais pas du résultat, car personne n'accourut à son appel. Il s'arma de courage et parcourut une à une les dépendances de la maison, communiquant aux invités et au personnel l'information de la mort de Madame. Ce fut seulement ainsi qu'il obtint qu'un quart d'heure après les habitants de la maison se réunissent pour examiner le cadavre en attendant l'arrivée du surintendant de Scotland Yard. Pour presque tout le monde, la présence dans la maison d'Hercule Poirot, le célèbre détective belge, personnage de nombreux romans de Mrs. Christie, et de son fidèle adjoint, le capitaine Hastings, était providentielle. Poirot donna les instructions appropriées sur le comportement à suivre – le même qu'avec n'importe quel cadavre – et fit part de ses observations à son fidèle Hastings. La qualification de fidèle était du domaine public, et même les servantes parlaient du capitaine dans ces termes : « Je viens de porter le thé au fidèle capitaine Hastings. » « Le fidèle capitaine Hastings m'a chargée de lui raccourcir un peu plus les manches de sa chemise. »

Quand le surintendant de Scotland Yard arriva et tomba sur le couple de fins limiers, il sursauta et commenta de mauvaise humeur :

« Poirot et le fidèle Hastings ! Si j'avais su, je ne serais pas venu. Avec vous deux, l'affaire va être résolue en quelques secondes.

– Ne croyez pas cela, inspecteur Fields. Mes " petites cellules grises " sont en activité depuis un bon moment et l'affaire est extrêmement compliquée. Pour commencer, sur un guéridon se trouve un plateau, avec une bouteille de porto et un verre... vide. Pourtant, James a découvert le cadavre précisément au moment où il apportait le porto. »

On ne peut dire que James pâlit, mais il haussa les sourcils et se gratta la gorge, signe indubitable qu'il allait dire quelque chose.

« Avec tout le respect que je vous dois, et peut-être en claire contradiction avec l'esprit du moment, messieurs, je dois avouer que le porto, c'est moi qui l'ai bu.

– *Pourquoi, monsieur* * ?

– Comme je devine que le détective étranger me demande pourquoi je l'ai bu, je dois avouer que le choc de la découverte et aussi l'occasion réellement inestimable de

* En français dans le texte *(N.d.T.)*.

boire un verre de Fonseca de dix ans d'âge ont influencé cette décision. Mistress Agatha, et je vous prie de ne pas prendre ce que je vais dire pour un reproche, était extrêmement avare de porto ; elle avait ce même esprit avaricieux dont elle faisait preuve dans ses romans, où elle laissait rarement ses personnages se servir deux fois.

– *Mon Dieu* * *!* observation perspicace. »

Quand Poirot, Hastings et le surintendant se retrouvèrent seuls, en attendant les résultats de l'autopsie, le détective belge passa rapidement en revue les habitants de la maison.

« Tout le personnel a le même alibi, que chacun a confirmé : ils avaient fini de manger et commençaient à préparer la table pour les invités, quand James est monté servir l'apéritif préféré de mistress Agatha. Voyons maintenant les autres : Gladys, une nièce de mistress Agatha, divorcée, la quarantaine, aigrie, qui vit pratiquement de la générosité – pas très grande – de sa tante. John Disraeli, un autre neveu. L'envers de la médaille, si l'on peut dire. Un play-boy insulaire. Un play-boy des côtes de Douvres. Pas un sou vaillant, mais vivant des femmes à ce qu'il paraît. Le commissaire-priseur chinois Hieng Tsi, spécialement invité par Madame pour expertiser sa collection de dés à coudre de la dynastie Ming. Nefer, la petite-nièce préférée de Madame. Jeune, pleine de vie, elle joue au tennis, monte à cheval, et est infirmière de la Croix-Rouge ; une splendide jeune fille. *Mon Dieu* * *!* Son fiancé, un étrange personnage tunisien, ex-croupier à Monte-Carlo, méfiant et distant. Je ne sais pas ce qu'elle lui trouve, mais c'est une relation qui dure depuis des années.

* En français dans le texte *(N.d.T.)*.

– Nefer, joli nom.

– C'est un nom égyptien. Le goût de mistress Christie pour l'égyptologie est bien connu. Hastings, ne me distrayez pas avec des digressions. Je suis concentré. »

Les yeux de Poirot se fermèrent, accentuant l'image de poire de son crâne chauve.

« Continuons. L'avocat Reynolds de la firme Reynolds and Reynolds and Cie.

– Qui est l'autre Reynolds ? »

Demanda Hastings, sérieusement intéressé. Poirot serra les poings.

« C'est son fils. Reynolds était l'avocat de mistress Christie et un habitué de la maison. Le commodore Laplace est un parent éloigné de mistress Christie ; il s'apprête à partir pour une expédition anthropologique dans les îles Fidji. Et enfin, le couple Dickinson, représentant aux États-Unis les intérêts littéraires de Madame.

– Alibis ? »

Interrogea de manière tranchante le surintendant.

« *Mon Dieu* * ! Enfin quelqu'un qui dit quelque chose de sensé. Il faut les établir. Au travail. »

Pendant des heures, ils menèrent leur enquête auprès des habitants de la maison et obtinrent ainsi un tableau exhaustif de leurs alibis. Gladys avait taillé les rhododendrons en compagnie du jardinier pendant toute la matinée. John Disraeli avait joué au tennis avec Laplace et ils étaient ensuite partis ensemble, à cheval, à travers la douce campagne anglaise. Le commissaire-priseur chinois Hieng Tsi était resté au lit toute la matinée avec une crise de

* En français dans le texte *(N.d.T.)*.

dysenterie. Des déclarations de Nefer et de son fiancé tunisien ils déduisirent que ces derniers avaient fait l'amour de huit heures à onze heures du matin, après quoi ils s'étaient promenés dans le jardin et étaient revenus dans leur chambre pour continuer à faire l'amour. La très discrète alarme de James était tombée au milieu du onzième orgasme de miss Nefer.

« *Mon Dieu* * ! Et la vieille folle qui cachait dans ses romans que ses personnages faisaient l'amour dans des manoirs Tudor. »

S'exclama Poirot. Reynolds avait attendu toute la matinée un coup de téléphone de Brisbane et tout le personnel pouvait en témoigner. Quant au ménage Dickinson, il avait débattu des heures et des heures sur l'origine des Indiens Cheyennes ; tous deux étaient finalement tombés d'accord sur la nécessité de divorcer. Ils s'en souvenaient parfaitement.

Une fois établi le cadre général des alibis, ils lurent le résultat de l'autopsie qui établissait la mort de mistress Christie entre onze heures du matin et midi. Fait curieux, on avait trouvé dans son estomac un demi-litre du meilleur Fonseca dix ans d'âge, ce qui permit de déduire qu'en quelque endroit de la bibliothèque se trouvait une cachette privilégiée pour la bouteille.

« Absurde, Poirot. Ils ont tous des alibis. Même moi j'ai un alibi.

– *Hélas* * ! Et quel est-il, capitaine ?

– Je me suis tordu la cheville et le chauffeur m'a conduit jusqu'au village pour que je me la fasse bander.

* En français dans le texte *(N.d.T.)*.

– Ce doit donc être un vagabond. Un hippie. »

Laissa tomber Fields. Poirot le regarda avec un mépris total.

« Dans les romans policiers, les vagabonds ne sont jamais des assassins. Ce serait trop facile. Mes “ petites cellules grises ” me disent que vous tenez la solution tout près, si près que vous ne la voyez pas.

– Poirot. Ne vous acharnez pas. Si vous savez qui est l'assassin, dites-le et c'est tout.

– L'impatient Hastings. Le fidèle et impatient Hastings. L'assassin, mais c'est moi !

– Vous ? Impossible.

– C'est à moi que vous dites ça ?

– Et comment l'avez-vous découvert ? »

Demanda Hastings. Sa question ne méritait pas qu'on y répondît.

« Pourquoi ? »

Demanda Fields avec plus de bon sens.

« La vieille sorcière m'avait joué beaucoup de mauvais tours, beaucoup tout au long de ces années. Regardez quelle tête elle m'avait attribuée et quelle stature. *Mon Dieu* * *!* Il n'y a pas de détective privé au monde plus grotesque que moi. Holmes avait ses défauts et une vie privée bizarre, mais il était plus svelte. Et les Américains ? Marlowe, Spade, élégants, beaux garçons. Moi, en revanche...

– Je vous arrête ! Je vous ai toujours soupçonné. »

S'exclama Fields. Et il servit trois verres de porto.

1975

* En français dans le texte *(N.d.T.)*.

Le chef crève de rage

Dieu, quelle douleur atroce! Tous ces tuyaux accrochés à moi comme des serpents interminables emportent peu à peu ma vie jusqu'à des profondeurs terrifiantes. Comme le regard des autres. Larmoyant ou indifférent. Comme les yeux de mon assistant qui me regardent; on dirait des lunettes à double foyer : tristes en haut, gais en bas. J'aimerais lever le bras et repousser tout cela loin de moi. J'aimerais leur lancer un regard à leur couper le souffle, un regard qui les fasse reculer comme le ferait un rayon laser. Mais je sais que je ne peux pas. Même le plus petit effort de concentration me fait souffrir. Seul me repose ce relâchement des muscles, ce visage de passivité grave que quelqu'un a interprété comme une preuve supplémentaire que j'ai traversé la vie impavide, comme Moïse la mer Rouge. C'est ce qu'a dit l'aumônier à l'oreille de ma veuve présumée, qui ne savait d'ailleurs comment réagir, le remercier d'un sourire ou continuer ces pleurs lents, pleins de gencives et de dents allongées par la vieillesse. Mon gendre a choisi le moment propice pour que tous l'entendent, moi y compris, s'exclamer :

« Il meurt avec une sérénité de gala. »

Si je m'en sors, il faut que je demande à don José María si c'est lui l'intellectuel idiot et prétentieux qui, pour faire le spirituel, m'a appelé « excès historique ». Autrefois, on ne m'aurait pas traité ainsi, avec cette fausse efficacité clinique, cette fausse volonté de me sauver qui en réalité cache le désir de me voir mourir, en dépit de tout ce qu'on me fait. Si je m'en sors, il faut que je charge l'aumônier de bien chercher dans le passé de tous ces médecins. Il y a ici des francs-maçons infiltrés. Chacun des tubes qui m'embrochent doit être connecté à une loge maçonnique différente, et ils sont là, réunis, écoutant comment je me vide de moi-même et comment ces conjurés me remplissent de mort. Certains tubes pourraient même aboutir aux catacombes communistes, afin que ces derniers, impuissants, écrasés par ma volonté, m'injectent à distance toute la haine qu'ils ont accumulée. Mes yeux ont été d'incessantes rafales de mitraillette qui les ont maintenus dans leurs taupinières, et c'est de là qu'ils écoutent comment je me dissous, comment je me convertis en l'empreinte de moi-même, sur ce lit qui me semble de plus en plus grand. A qui demander de l'aide? Les assassins se sont déguisés en scientifiques, et si je crie ils cesseront d'avoir peur de moi et ils m'assassineront. J'avais bien raison quand je me recommandais à moi-même de faire médecine, surtout après tout l'enseignement que j'ai tiré de mes études d'architecture, de droit ou d'économie. Quand un subalterne voulait faire le malin, je le remettais à sa place et il ne pouvait que s'incliner devant mes connaissances.

« Voyons, Gonzalez, qu'est-ce que la valeur de l'échange?

– Eh bien... chef... il y a plusieurs théories...

– La patriotique.

– Eh bien, dans ce cas-là... »

Imbécile de maçon. Malgré mon flair, plusieurs maçons réussirent à s'infiltrer et j'ai toujours opté pour la prudente tactique de les laisser faire, d'observer comment ils tissaient leurs toiles d'araignée à la hauteur de la pointe de ma botte. Si quelque chef ou petit chef voulait m'embobiner avec un langage de spécialiste, je me souvenais de ces vaillantes études de ma jeunesse, lorsque, conscient de la haute mission qui me serait confiée, je m'efforçais de savoir tout ce que doit savoir un grand chef qui a et la vocation et la volonté de le devenir. Je les laissais bouche bée quand je mettais leur pseudo-science en pièces, en leur montrant mon savoir personnel, intransmissible, né de la distance que je gardais envers les hommes et les choses.

« J'ai obtenu une formule pour extraire du gas-oil de ces fleurs qui poussent sur les berges des fleuves. »

Ils m'acculaient. Me disaient que le blocus des fournisseurs allait m'asphyxier : plus de vivres, plus de gas-oil, plus de charpie. Je frappai sur la table, et toutes les décorations de mes conseillers tintinnabulèrent d'horreur. Eh bien, vous n'avez qu'à manger des rutabagas, c'est très nourrissant. Et vous n'avez qu'à panser les blessures avec de vieilles chemises. Et quant au gas-oil...

« Un chauffeur originaire d'Europe centrale m'a passé la formule parce que c'est un admirateur de notre grandeur. »

C'était un admirateur de ma grandeur, de celle de personne d'autre. Mais ma grandeur, je la leur offrais, je la partageais généreusement avec eux, suintants de méfiance, de lâcheté, une main tendue pour m'adorer, l'autre prête à me trahir. Ils se moquaient de moi derrière mon dos et parlaient du pouvoir comme s'ils n'étaient pas eux-mêmes le pouvoir; ils parlaient de mon système comme s'ils n'en étaient pas les exécutants; avec des mines d'affliction, ils m'exprimaient leur soutien inébranlable, ils m'acclamaient en public, la voix cassée par la peur que la scène reste gravée dans la mémoire de mes ennemis. Ils ne méritaient même pas l'effort que je faisais pour les tolérer et les élever à la hauteur de ma patience. Il faut faire ceci. Il faut faire cela. C'est urgent. Il faut affronter... Je les fusillais du regard et les découvrais subitement paralysés, balbutiants. C'est-à-dire, chef, peut-être serait-il mieux de... On pourrait envisager... Comme ça je préfère, leur répondais-je des yeux, et je changeais de sujet, enterrant le leur sous le poids de mon indifférence. On a toujours le temps de se tromper, mais en revanche les occasions de succès total sont toujours rares. Bien dit, chef. Ils te craignent, ils ne t'aiment pas, me disait mon frère, ne l'oublie jamais. Je ne leur ai jamais tourné le dos. Ni fait la plus petite concession. Comme à présent. Dès le premier jour, j'ai refusé de les recevoir. Qu'ils viennent à la clinique avec leur suite de laquais obséquieux, qu'ils cherchent la troisième porte et qu'ils demandent à mon gendre d'une voix faussement consternée :

« Quoi de neuf ?

– Rien.

– Dieu nous l'a donné! Dieu nous le reprend! »

A dit l'un d'eux, je crois, la voix dégoulinant par tous les pores de son âme infortunée. J'en connais plus d'un qui en ce moment est en train de répéter devant le miroir la phrase de circonstance avec laquelle il commentera ma mort :

« Il est mort comme il a vécu... la patrie au cœur. Non. Non. Trop équivoque. Voyons. Il est mort pour la patrie. Trop conceptuel. En mourant, il a accompli son ultime devoir. Attention. Attention. Ça pourrait être mal interprété. Il est mort dans l'exercice fatal et affligeant de son ultime devoir. Ça y est! Ça y est! »

Mon Dieu. Encore des piqûres. Elles me dessèchent les yeux qui me brûlent comme des braises enfoncées dans mon cerveau. J'essaie de faire peur à l'infirmière avec mes yeux de braise presque morts, mais sans succès. Elle cherche en vain un centimètre de peau qui ne me fasse pas mal. Vous ne le trouverez pas, malheureuse. Vous m'avez transformé en un puits de douleur. Et elle me pique. Et elle me repique parce que sa seringue se remplit de sang.

« Il réagit ? »

Demande une voix à sa droite.

« Il me regarde.

– Souris.

– C'est que je suis pressée.

– Souris. »

Elle me sourit, et je ne peux même pas la fusiller du regard. Voyons. Ce n'est peut-être qu'une simple question de volonté. Comme si je devais bander mon cerveau. Mettre en marche ma colonne vertébrale. Me lever petit à petit jusqu'à m'asseoir dans le lit. Si j'y arrivais, ils reculeraient de trois mètres, épouvantés.

« Qu'est-ce qu'il fait ? Il bouge ?

– Non, il a fermé les yeux et il a soupiré. »

Tout autour, une forêt d'appareils sans la moindre brise dans leurs branches électriques, les lances de leurs aiguilles immobiles, comme à l'affût, marquant la ténacité obstinée de mon agonie. Dans mon premier demi-sommeil, j'ai cru que c'étaient des appareils de télévision et j'ai même demandé quel match de football ils retransmettaient le dimanche, et ils ont ri comme si j'étais un vieillard imbécile, sans défense, drôle, puéril, animé de la coupable volonté d'ignorer qu'il pourrait toujours les anéantir d'une simple pichenette. Ce dévouement faussement ému et protecteur me crispe. C'est l'alibi sentimental grâce auquel ils dissimulent leurs pratiques de bourreaux qui m'ouvrent, me ferment, me cousent, me piquent, m'auscultent, me comparent, et font de moi une douleur palpitante qui les met au défi de me garder en vie. Comme lorsqu'ils rédigent ces rapports médicaux qui détruisent mon image, me renversent de ma tour de guet et font de moi un malade dont la santé se mesure à son urine, à ce qu'il urine ou n'urine pas, pour ne pas parler de choses pires dont le souvenir pourrait me faire mourir sur-le-champ de désespoir et d'impuissance. Moi qui avais des sphincters me permettant de rester des heures et des heures sans avoir besoin de me lever, ni de comprendre les angoisses qui grandissaient dans les bas-ventres de ceux qui étaient réunis autour de moi. Je les voyais de temps en temps changer de fesse sur leur siège et serrer les genoux sous la table pour faciliter la contention de l'urine. Plus l'envie se faisait pressante, plus les spasmes se transformaient en rictus et le rictus en grimace, tandis qu'ils parlaient de la nécessité d'importer des pommes de terre nouvelles de Hongrie pour équilibrer les prix du marché intérieur. Et moi assis, toujours assis, les muscles bien collés à la chaise, deux sonnettes à portée de la main, deux sonnettes dont le timbre pouvait faire trembler tout le pays.

« Comme il est serein! »

Dit encore mon gendre. Ce qu'il appelle sérénité, c'est ne plus pouvoir rien dire, pas même avec les yeux. J'ordonne à ma main de se lever pour les accuser, mais ma main reste immobile, cartilagineuse, putréfaction vivante.

« Seul un miracle peut le sauver. »

C'est l'aumônier qui a parlé, et les pleurs de ma veuve atteignent la majesté des grands adieux. Comme tu vas me laisser seule, me dit-elle à un moment où elle me croyait endormi. Docteur, ne puis-je lui faire quelques frictions au Synthol, pour le rafraîchir? Plus tard, elle m'apporta la hanche intacte de saint Tarsicio, qui est restée là, à ma gauche. On dirait une conque de poussière pétrie. Le dialogue avec cette relique est impossible. Que peut-on dire à la hanche d'un adolescent? Je n'ai jamais aimé le martyr de saint Tarsicio. Il m'a toujours paru efféminé, peu viril, pas du tout patriotique, aussi peu crédible que celui de saint Sébastien, si langoureusement représenté par les peintres athées de la Renaissance, véritable cinquième colonne de la réforme protestante. Avec ce qu'ils lui donnent à manger, le pauvre, il ne va rien en rester, rien du tout. S'ils lui donnaient au moins un bouillon... Un bouillon, ce n'est pas possible? La voix de mon gendre s'impatiente. Je vous l'ai dit vingt fois, maman, c'est une maladie très grave, pas une opération de l'appendicite. Il ne peut absolument rien digérer. Quel ton ! on voit que je ne suis pas en condition de le fusiller du regard. Quelqu'un lui dit qu'un évêque est arrivé pour me bénir. Ils l'ont déjà béni de tous les côtés, et à propos de tout. Je me souviens d'un jour où j'ai failli mourir et où la bonne sœur s'obstinait à faire venir un aumônier pour que le secours de Dieu me réconforte. Puisque je vous dis que je vais m'en tirer, ma sœur, je vais m'en tirer. Mais vous n'avez rien à perdre, et en plus sainte Gertrude dit que l'extrême-onction n'aide pas seulement à aller au ciel, mais aussi à rester sur terre. J'ai dit que non et non. Quand je verrai que c'est absolument nécessaire, je la demanderai moi-même. Par la suite, sur les fronts où je bataillais, les balles m'ont souvent sifflé aux oreilles. Pourquoi y échappes-tu ? Tu as une de ces veines! De la veine, tu parles! Je passais la tête au-dessus du parapet, faisais face à l'ennemi, plantais mon regard dans le sien et me disais en moi-même : « Je te rendrai le mal pour le mal. » Depuis que je suis tout petit, mes yeux ont un pouvoir spécial. Ma mère le disait : « Ta voix ne te servira à rien parce qu'on dirait que tu l'as volée à un pauvre. Mais les yeux, c'est avec les yeux que tu t'exprimeras, mon fils. » Si je pouvais les ouvrir et les utiliser encore une fois, pour les faire reculer, les obliger ensuite à démonter ces tubes, à retirer ces appareils... ils me pompent l'air et l'espace, me traquent, me vident. Une fois, mon aide de camp m'avait exposé un plan compliqué pour reconnaître facilement les francs-maçons. Un horloger d'Ávila lui avait parlé d'une espèce de compteur Geiger qu'il avait inventé pour détecter les truffes, mais qui pouvait être perfectionné pour détecter les opposants. L'horloger était un fou furieux, un biogénéticien qui soutenait que les opposants souffrent de déficiences cérébrales particulières. La mélancolie est due à un manque d'iode et il affirmait qu'en se fondant sur ce principe, on pourrait déterminer quelle est la carence cérébrale qui provoque l'aberration politique. Il suffirait de découvrir la carence du franc-maçon, celle du communiste et celle du socialiste, et de la traduire en longueur d'onde. Dans la rue, l'appareil se mettrait à sonner quand passerait à sa hauteur quelque personnage bizarre. Il suffirait ensuite de vérifier la longueur d'onde et l'identification serait faite. Je n'ai jamais été crédule, mais jamais je n'ai refusé de laisser les choses suivre leur cours pour voir leur résultat. C'est ainsi que je dis à mon aide de camp de donner à l'horloger toutes facilités pour qu'il pût mener à bien ses expériences, car je sentais dans ma chair la blessure infligée à la patrie par le vol des brevets d'invention comme celui de l'autogire, du sous-marin ou du train articulé. Quelques mois plus tard, mon aide de camp raconta, atterré, que l'horloger avait fui à l'étranger en emportant avec lui les fonds que nous lui avions alloués pour ses recherches. Et l'horloge aux truffes? Il s'en fut consulter un spécialiste en agriculture. C'était un simple réveille-matin suisse, un peu sophistiqué, confessa-t-il, embarrassé et sans oser me regarder en face. Alors garde-le, lui dis-je, et qu'il te réveille tous les matins à l'aube pour que sa seule présence te punisse de ta crédulité. Je l'ai bien mérité, chef. Dommage qu'il n'existe pas des choses comme le réveille-matin, dommage que les rêves les plus utiles ne soient jamais réalisables, comme lorsque j'étais adolescent et rêvais que j'inventais une formule merveilleuse pour ne jamais cesser de grandir. Un jour j'ai pensé : laisse-toi porter par l'intuition et utilise tes yeux magiques. J'ai mélangé mille breuvages dans un verre, concentré mon regard jusqu'à ce que je sente dans mes pupilles le froid du verre et du mélange, puis je l'ai bu les paupières fermées, mais les yeux grands ouverts en moi, pour qu'ils suivent le liquide dans son voyage. Il ne se passa rien. Pendant plusieurs mois je me reprochais ce laisser-aller illusoire. Aujourd'hui, j'aimerais sortir de ce trou et m'envoler au-dessus de tous ceux qui m'enferment avec la mort, comme une libellule implacable, et rire de leur peur de coupables.

« Il a bougé ?

– Non, ce sont ses dernières minutes.

– Les montres du monde entier devraient s'arrêter, un des hommes les plus grands de ce siècle va mourir.

– Au ciel, il aura la place d'honneur qu'il n'a pas eue dans ce bas monde. »

Ils parlent de mieux en mieux. On dirait un dialogue de théâtre. J'ignorais ces talents chez mon gendre, bien sûr je n'ai pas beaucoup parlé avec lui, ni de lui avec ma fille. Elle est dans ce coin sombre. Il me semble voir ses grands yeux brillants qui me regardent ou qui égrènent des souvenirs comme les perles d'un rosaire. Une fois, je lui avais acheté un cerf-volant chez Oviédo, et sa mère s'est fâchée parce que ce n'était pas un jouet pour une demoiselle. Les jeux qui sont ou ne sont pas pour les filles, c'est moi qui le décide. Mais la petite n'a plus jamais voulu jouer avec le cerf-volant, parce qu'elle n'a jamais aimé les conflits, ni avec moi ni avec son autoritaire de mère. Toujours à parler de ce que doit faire une jeune fille. Approche-toi, ma fille. Je veux te raconter quelque chose. Une fois, j'ai eu peur pour moi et pour vous tous, mais surtout pour toi. J'étais sur le point de perdre la partie et mes yeux se sont remplis de larmes à l'idée de ce que pourrait être ton sort. Je craignais que tu n'hérites d'une responsabilité que moi seul avais contractée, c'est le seul vrai souci qui m'a accompagné pendant toutes ces années. Que tu doives payer à ma place.

« Pourquoi ne te reposes-tu pas ? Tu ne peux rien faire pour lui », lui dit mon gendre. Elle ne lui répond même pas. Elle reste là dans son coin, s'agite un petit peu, vient me regarder et de temps en temps me passe une éponge mouillée sur les lèvres. Maintenant elle s'approche. Elle va répéter son geste.

« Non. Non. Ses lèvres ne sont qu'une plaie. »

La main de ma fille s'est arrêtée. Au-delà de l'éponge, je vois son visage comme s'il pendait d'un plafond très haut. Elle semble hésiter à s'en aller et le bras de son mari la pousse doucement vers son fauteuil. C'est révoltant. Je me concentre. C'est maintenant ou jamais. J'ouvre les yeux, bats des paupières comme dans un tourbillon de regards, et du fond de ce qui me reste d'estomac je lance un rugissement qui emplit la pénombre d'éclaboussures de sang sale et de viande déchiquetée.

« Chef! Chef! » crie mon aide de camp. Ils s'emparent de moi.

« Le chef crève de rage! Je le connais bien! il est furieux!

– Le chef est mort. »

Dit mon gendre. Et c'est déjà presque la vérité.

1976

Mao descend le Yang-tsé-kiang

L'explosion d'une bombe tombée à quelques kilomètres du palais réveilla Mao. Il parcourut les salons vides, de son pas et de sa respiration de vieillard, et appela en vain la bande des Quatre. Il sortit sur la terrasse d'où l'étalage des destructions paraissait s'étendre à toute la Chine.

« Quand l'homme perd la terre, il doit revenir à l'eau. L'important est de ne pas cesser d'être un homme. »

Pensa et dit Mao pendant qu'il sortait de sa veste un slip rouge qu'il emportait toujours sur lui pour les cas d'urgence. Il se déshabilla avec une lenteur séculaire et, en équilibre délicat sur ses petites jambes rabougries, enfila le slip. Son thorax paraissait d'or et ses jambes taillées dans un mauvais bois tout tordu, prêt à se rompre. Il s'approcha de la balustrade qui le séparait du fleuve et respira le parfum des nénuphars pourris et des rats noyés. Mao plongea dans le Yang-tsé.

Il fit quelques mètres sous l'eau, en brasse, avant de remonter à la surface. Il flotta quelques secondes sans nager, pour vérifier la force du courant. Elle était considérable, et la prudence lui conseilla de se situer au milieu pour éviter que l'eau ne l'emportât contre les rochers du bord. Le faible éclat lunaire l'obligeait à nager la brasse pour repérer de possibles obstacles. Aucune autre nage ne procure une telle sensation de sécurité et de puissance. Les épaules, la tête et la poitrine deviennent les acteurs du destin du nageur. Ce n'est pas comme le crawl, cette nage aveugle et habile, qui repose exclusivement sur la rapidité. Ce n'est d'ailleurs pas un hasard si c'est elle que préfère le Tigre de papier, elle simplifie tout, exige un minimum d'effort pour un maximum de résultat. Mais de même que la brasse procure une sensation de sécurité, de même la brasse papillon est la merveille de la puissance. Et Mao parcourut à la brasse papillon un kilomètre dans les eaux du Yang-tsé. C'est l'épopée humaine traduite en symboles de natation. Particulièrement quand le thorax émerge à la surface, bras en l'air, écartés, comme signalant chaque saut qualitatif de l'humanité après des secondes historiques de réflexion, le visage trempé de l'eau du fleuve historique. Mao y songea et cessa de nager à contre-courant de l'Histoire qu'il laissait derrière lui. Le flamboiement des incendies s'éloignait peu à peu, le feu et les coups de butoir des obus aussi. Le fleuve était l'issue de secours la plus sûre. Il nagerait jour et nuit, semaine après semaine, mois après mois, jusqu'à reprendre pied sur la terre – vraiment – ferme. Il se revoyait, un parmi tant d'autres dans le cercle des curieux qui assistaient à l'exécution de sa première femme. Lui seul connaissait, au sens global du mot, cet être humain qui allait mourir, lui seul aurait pu interpréter jusqu'au dernier de ses gestes, sa première peur, ses mots assurés ou hésitants, la chaleur ou le froid de sa peau. Cet être humain qui allait mourir était une partie de lui-même qui habitait un autre centre, avait une autre conscience, mais leurs deux corps étaient merveilleusement dotés d'une racine commune, qui se ramifiait dans leur cœur et leur cerveau. Et il dut la laisser mourir comme un pauvre petit oiseau, comme un insecte précipité dans le tourbillon d'une bouche d'égout. Comme ses yeux étaient secs ! Combien de cellules de son esprit brûlèrent-elles pendant ces quelques minutes ? Et pourtant, il avait survécu. Mao plongea sa tête et ses souvenirs dans les eaux grises, resurgit soudain avec des ailes de papillon chatoyant et s'envola sur le courant du Yang-tsé plus vite que les nuages, plus vite que l'espoir. De sa poitrine jaillissait un cri plein d'espoir en l'avenir.

Les vieilles mains détruiront le linceul
Elles ne sont pas nées pour construire des stèles
Ni les têtes penchées pour entendre des mots
Qu'elles-mêmes n'ont pas prononcés en vain.
Les paroles des autres sont dangereuses
Parce qu'elles tuent les miroirs où l'on contemple
Son propre espoir d'être plus que le jour,
Plus que le vent, plus que le tigre rouge ailé.
Mais dans son aveuglement de bête nuisible d'un monde mort
Il ne remarque pas que mille mains recommencent à tisser
Le linceul qui enveloppera le cadavre de son arrogance.

Quand K.S. Karol lui demanda s'il composait des poèmes pendant qu'il nageait, il lui répondit que non, pas même quand il nageait la brasse, bien que le temps et le rythme lui eussent permis d'associer image et langage. Mais en nageant, il allait vers le monde des images avec toute la puissance de ses muscles, tandis que l'eau le dépouillait du poids des hommes et que ses bras lui permettaient l'envol des dieux. A la faveur de sa volonté obstinée de mourir dans le fleuve, Mao se permit des cabrioles, des pirouettes, des géométries corporelles de ballet aquatique, masculinisant l'harmonie en Technicolor d'Ester Williams, découverte en cette occasion bénie où les troupes détachées en Corée lui avaient envoyé comme pièce de butin un film de la Metro, abandonné par MacArthur dans sa retraite honteuse. Mao se cita lui-même :

« En ce qui concerne la méthode d'enseignement, nous devons développer des mouvements de masses par lesquels les officiers instruisent les soldats, les soldats instruisent les officiers et les soldats s'instruisent mutuellement. »

Il se souvenait que cette pensée, il l'avait eue et l'avait écrite à la fin de 1945, puis publiée en 1946 dans les orientations pour le travail à réaliser dans les régions libérées. C'est pourquoi, lorsque les soldats lui envoyèrent du front de Corée la vision de la poupée aquatique peinte aux couleurs du coucher de soleil sur Canton, Mao la reçut comme un instrument de modification de sa conscience, avalisé par le fait que, malgré la provocation mythologique du titre, *Le Bal des sirènes,* l'intention de matérialité de l'œuvre était évidente, et le maillot d'Esther Williams n'était pas le dernier voile cachant la vérité, comme Confucius l'aurait pensé grossièrement, mais plutôt une seconde peau qui se détachait lentement de la pulpe blanche, violacée sur les mamelons, de l'architecture du corps dressée sur l'explosion des mondes froids, où la brèche saturnienne s'ouvrait vers les tendresses closes de l'anus. Plus bas, la représentation du monde était l'énigme de *l'arbre i grec,* un arbre fruitier aussi beau que le litchi, représentation équivalente à l'adaptation de la nature au milieu, qui la porte à protéger la douceur intériorisée du vagin et les branchages hirsutes du taillis. Et c'était précisément à l'endroit où le *i grec* commence sa descente vers la mort que restait suspendue, brièvement, la peau du maillot, humide en ce point précis, soutenue par des doigts incitant la nymphe aquatique à s'en débarrasser, non sans avoir demandé, pour en être bien sûre :

« Alors, vous avez bien dit que vous vous appeliez Mao ? »

Et comme la tête acquiesce, le maillot acquiesce lui aussi, et les fruits de *l'arbre i grec* brillent dans le scintillement des dernières gouttes d'eau.

Mao se laissa porter par le courant jusqu'à la rive et avant que ce dernier ne le renvoyât au centre du fleuve, il se hissa dans l'obscurité sur un rocher, ruisselant d'eau noire et visqueuse. Peu à peu, ses yeux s'habituèrent à la pénombre et commencèrent à distinguer le dessin de la rive, les bornes rocheuses qui pouvaient lui permettre d'atteindre la berge. Il ne distinguait déjà plus le flamboiement lointain des incendies, n'entendait ni décharges, ni rafales, ni le passage sonore des obus. Lentement, il choisit les pierres où poser ses pieds et se hissa sur la roche où il sentit soudain le poids d'une solitude nocturne venue d'étranges profondeurs terrestres, comme si l'envahissait la conscience d'être dépossédé d'une sorte de magnétisme qui l'eût rattaché à la terre. Un animal amphibie, pensa Mao, voilà ce que je suis. Il se mit à marcher énergiquement pour lutter contre le froid que ses vêtements mouillés transmettaient à sa peau. En aval, il savait que tôt ou tard il rencontrerait une de ces cabanes communales construites pour les pêcheurs et pour les vanniers. Plus il pressait le pas, plus il grandissait, au point de dépasser les arbres et de rivaliser en perspective avec les petites collines que le cours du fleuve avait limées jusqu'à les faire presque disparaître. Ses yeux aussi avaient été dotés des meilleurs attributs pour affronter la nuit. Ils pénétraient les distances et illuminaient le chemin comme des phares marins.

Mao se rappela une de ses pensées et réussit à prendre son envol au-dessus des eaux. Il arriva sur la terre ferme. Les chemins n'étaient qu'un interminable cortège de Chinois. Ils fuyaient.

« Les Japonais. Les Japonais arrivent.

– Impossible. Ce sont les Russes. »

Risqua Mao, mais le fugitif qu'il avait arrêté au bord du chemin continua sa course sur un haussement d'épaules. C'est dans la fuite que le mouvement prend toute sa valeur, pensa Mao, et il se joignit à la colonne. Il consacra plus encore de ses propres pensées à tenter de contrecarrer la rébellion de ses vieux pieds fatigués et, à un moment donné, il menaça ses yeux de les exclure du Parti s'ils continuaient à pleurer de douleur, de fatigue et de tristesse. Tu as deux yeux, mais le Parti en a mille, pensa-t-il, surpris que cette pensée de Mao soit venue à l'esprit de Bertolt Brecht.

« Il a des ancêtres chinois, Bertolt Brecht ? »

Demanda-t-il à un philosophe officiel qui s'était joint au cortège des fuyards. Pour tout bagage, le philosophe officiel n'avait que les œuvres complètes de Mao et, à la lumière précaire de la lune, il consulta l'index, puis les textes pour arriver à la conclusion qu'il n'y avait pas de réponse : Mao ne s'était pas prononcé sur ce point.

« Nous pourrions commencer une autre vie dans le Sud. »

Proposa Mao à une fille qui passait par là, emportant sa jeunesse vers la mort.

La fille consulta sa boussole.

« Nous allons dans la direction opposée. »

Mao se concentrait sur le problème quand un arc de feu apparut dans le ciel, indiquant la route du Sud-Est.

« Il va falloir abandonner la colonne et marcher à travers champs. »

Ce fut une conclusion et un ordre. La fille accepta la main du vieil homme et le couple abandonna la colonne pour entrer dans un champ de silènes, fleurs nocturnes au visage tourné vers la lune.

« Tu sais, toi, ce qui est arrivé ?

– Dans la commune de Sue Lon, on nous a dit que les Russes ont commencé l'invasion. Le roi de Navarre est mort. Les Américains sont arrivés sur Vénus.

– Les Russes. Alors ce ne sont pas les Japonais. C'était écrit.

– Où était-ce écrit ?

– Dans mon livre. Dans le livre où tout est écrit. Souviens-toi. “ Du Nord arrivera l'incendie sauvage et même les bouleaux rougiront en été. ”

– Je croyais que tu faisais référence à l'espoir en l'étoile polaire.

– L'espoir est toujours au sud. Si quelquefois j'ai avancé vers le nord, c'était pour revenir au sud. Au sud, il y a la chaleur et la plénitude. Allons vers le sud. »

Il avait mal aux pieds, comme si la terre les lui mordait. Il ne voulait pas perdre le rythme du pas de la fille, court et rapide, comme ceux des pionniers. Elle marche comme un animal qui insulte le paysage, pensa Mao, et il s'arrêta un instant pour noter cette pensée, inédite.

« Je suis fatigué. J'ai froid. »

La fille ramassa du bois sec et fit un feu. Mao grelottait penché au-dessus du feu, et comme s'il pensait à voix haute, il dit :

« Le chemin qui mène vers le sud est long et j'ai envie de toi. Je voudrais te faire l'amour avant que la lune ne se retire et que le soleil ne te révèle ma vieillesse et ma fatigue.

– Je n'ai pas encore l'âge officiel pour pouvoir faire l'amour. »

On aurait dit que le contact des flammes était humide et perlait de larmes les joues enflées et rougies du vieil homme.

« Combien de temps te manque-t-il ?

– Trois ans. »

Le corps se pencha plus encore vers les flammes, comme s'il se préparait à y plonger, mais il n'y cherchait qu'un peu plus de chaleur.

« C'est une excellente raison de survivre. »

1978

La vie privée du Dr Betriu

> Pour redevenir moi-même, je dus prendre une double dose de mon breuvage. (...) A partir de ce jour, ce fut seulement par un effort de volonté, comme ceux qu'on accomplit dans certains sports, que je pus garder l'aspect du Dr Jekyll.
>
> R.L. Stevenson, *L'Étrange Cas du Docteur Jekyll et Mister Hyde.*

Que Tomás fût spécialisé dans *Dencas et le fascisme italien* n'était un secret pour personne, et pourtant nul ne s'étonnait de ses connaissances dans des domaines plus généraux. C'était un professeur – très recherché – qui enseignait l'histoire aux étudiants de première année de faculté et animait un séminaire restreint intitulé « Idéologie et classes sociales », auquel assistait un groupe assidu d'étudiants de cinquième année. Ses anciens camarades d'études, qui avaient suivi sa carrière depuis l'adolescence, ne s'étonnaient pas d'un savoir universitaire aussi varié.

« Il vit pour la lecture, disaient-ils.

– Il a toujours été comme ça. »

Myope et muni d'un parapluie, hiver comme été, qu'il

pleuve ou qu'il fasse soleil, couvert de pellicules, avec de huit à douze kilos de trop particulièrement concentrés sur le visage et sur le postérieur, il paraissait toujours en demi-deuil, malgré son sourire et une amabilité qui transpirait par tous les pores de sa peau au point que personne ne l'avait vu en colère qu'une seule fois, quand le Pr Biel Colom avait soutenu en sa présence que dans l'histoire de Majorque les racines arabes sont plus déterminantes que les racines catalanes. Tomás Betriu se justifia plus tard de sa crispation en alléguant que sa réaction passionnelle n'était pas due à la supercherie scientifique de Colom, mais bien à l'évidence que ce dernier était en train de falsifier volontairement son propre point de vue.

« Les comédiens m'énervent. »

Ce fut un premier indice de l'irritabilité de Betriu, et malgré la tentative de plusieurs de ses camarades pour lui expliquer que nous interprétons tous un, deux et parfois plusieurs rôles, Betriu ne voulut pas en démordre. Depuis lors, il se hérissait chaque fois que Biel s'approchait à une distance peu prudente, au point que toute la communauté de professeurs du département, qui n'était guère encline aux commérages, faisait des gorges chaudes de cette animosité. Pour le reste, Betriu était austère dans son alimentation, cérémonieux avec les étudiants et les secrétaires, généreux envers ses collègues et soigné dans sa mise, une caractéristique à souligner dans ce milieu de professeurs célibataires ou mal mariés.

L'incident n'aurait jamais été qu'un spectacle confirmant l'étroitesse d'esprit du corps professoral si je n'avais eu, cette saison-là, une liaison intermittente avec une enseignante de psychiatrie qui venait parfois déjeuner avec moi au restaurant universitaire. Nous jouions au couple stable et les repas se transformaient en préliminaires aimables à des ébats dans la chambre de mon appartement du campus. Les yeux fixés au plafond, l'âme et le corps à moitié nus, nous parlions de livres, de l'impuissance ou de la mauvaise foi de la gauche, de problèmes académiques, de nos camarades, conversations inévitables étant donné notre métier et notre condition d'habitants de cet îlot de science, éloigné de vingt kilomètres de tout, même des quatre points cardinaux. Après un tour d'horizon des derniers livres à l'étalage de notre vitrine mentale, nous nous mettions à nous moquer des trahisons de la gauche et à passer en revue, sceptiques, les alternatives possibles.

« Tu as lu ce que dit Sacristan dans *Mientras Tanto ?*

– Je suis en train de le traduire.

– Sacristan et en général tous ceux de *Mientras Tanto,* il faut les traduire avant de les lire. Ils écrivent pour les cinq cents philologues marxistes qui restent au monde.

– Ils sont peut-être tombés dans un certain réductionnisme linguistique, mais vous, les historiens, vous êtes tombés dans un réductionnisme logique. Qu'est-ce qui te fait rire ?

– Je te regarde et je ne sais pas si tu parles avec la bouche ou avec les seins.

– Imbécile. Macho à la con. »

Venait ensuite l'inventaire social du paysage humain de l'université. Biel Colom et ses folles aventures d'histoire imaginaire, les linguistes et leur éternel complexe de castration idiomatique, qu'ils soient catalanophiles ou castillanophiles, les folies insignifiantes et éthyliques des professeurs, hommes et femmes confondus, nommés depuis peu et excessivement célibataires ou divorcés.

« Seul Betriu est insensible au découragement. Il absorbe la science comme une éponge.

– Je ne sais pas. »

Ce ne fut pas tant le doute exprimé par Luisa que le ton préoccupé, sérieux, évocatif qui attira mon attention.

« Que veux-tu dire ? Tu crois que c'est du bluff ?

– Non, non, je ne parle pas de ses qualités professionnelles qui sont monstrueuses, mais de sa vie privée.

– Une vie privée, Betriu ? Raconte.

– Non, c'est un secret entre quelqu'un d'autre et moi-même. »

De son doigt, elle essaya d'enrouler en boucles les poils de ma poitrine et y parvint quarante centimètres plus bas. J'oubliai Betriu jusqu'au moment où je la raccompagnai à pied chez elle, sous la pleine lune d'un mois de mai annonciateur de vacances. Luisa n'acceptait même pas de me consacrer une partie des siennes. Elle voulait profiter de cette occasion pour se retrouver avec son mari et ses enfants.

« Mais vous vous voyez tous les jours.

– Lui et moi, on ne se parle presque jamais. Les enfants en souffrent. L'été pourrait arranger ça.

– " On attend toujours un meilleur été. Qui nous porte à faire ce qu'on n'avait jamais fait. "

– C'est de toi ?

– C'est un de mes poèmes d'adolescent.

– De préadolescent, dirai-je. »

Je rentrai à la maison de ce pas lent auquel invitent

certaines nuits, sans autre témoin que les pentes vertes du terrain de golf et le mur d'enceinte de l'université m'indiquant le chemin du retour. La lune m'hypnotisait au point de me retenir, et je sentais la blancheur laiteuse et glacée du serein imprégner mon corps à peine protégé par une chemise. L'association de la lune et du mythe du loup-garou me rappela que depuis longtemps je voulais consulter le Pr Riquer, à propos de cas de lycanthropie relatés dans des chroniques galiciennes du bas Moyen Age. Il avait consacré un cours rapide au thème des superstitions dans l'histoire et la littérature, à la longue survivance des mythes rassemblés dans les grands livres religieux, à leur reconversion en littérature populaire anonyme, et à leur diversification à partir de l'apparition des littératures nationales et des références historiques. J'eus soudain envie de la douce chaleur de ma chambre et forçai le pas pour pénétrer dans la zone résidentielle. Le bruit d'autres pas me fit ralentir le rythme des miens pour détecter d'où ils venaient et où ils allaient. Ils venaient vers moi, sur le trottoir d'en face, annoncés par le fredonnement d'une chanson entrecoupée, et ils se matérialisèrent en un corps bien concret qui montait et descendait du trottoir au gré de son caprice comme s'il ne savait quel chemin choisir ou ne contrôlait pas ses pieds. J'accélérai de nouveau, mais, en arrivant à sa hauteur, je ne pus empêcher mon œil droit d'essayer de le voir, délabré et obèse, englouti par l'ombre cubique des maisons. Je perçus quelque chose de familier dans ce corps, mais n'osai pas faire demi-tour pour le vérifier, craignant ne fût-ce que le moindre mal d'un dialogue confidentiel entre deux niveaux éthyliques différents. L'impression de familiarité me poursuivit jusqu'à la maison où je me mis à cogiter sur la possibilité que l'homme de la nuit fût Betriu en personne. Tu te laisses influencer par la suspicion malintentionnée de Luisa, pensai-je en m'endormant la lumière allumée, après avoir cherché le sommeil en lisant un article de Spaventa publié dans l'ouvrage collectif *Industrialisation et Développement* (Communication 24, Alberto Corazón éditeur, Madrid, 1974).

J'en fis le commentaire à Sitjar le lendemain, au comptoir de la cafétéria de la faculté où fumaient nos deux cafés, doubles et serrés.

« C'est curieux. C'est un simple article méthodologique, mais complètement passé de mode, alors que nous sommes précisément en pleine crise du modèle d'industrialisation et de développement.

– La science n'est pas neutre et la méthodologie n'est pas sans rapport avec l'histoire. Et encore moins la méthodologie qui vient d'Italie.

– Je vois venir le germanophile.

– Qui est germanophile ? »

La question venait de Betriu, dans notre dos, qui n'acheva pas son geste visant à nous entourer de ses deux bras ouverts, courts, gros, terminés par deux petites mains grassouillettes aux doigts d'enfant masturbateur. Pourquoi d'enfant masturbateur ? J'analysai ma métaphore tout en écoutant des bribes de la conversation entre Betriu et Sitjar.

« Tu es une victime du chauvinisme de Marx, dont ses adeptes ont hérité, d'ailleurs. »

Disait Betriu.

« *Halbwissende literati*... c'est ainsi que Marx qualifiait les philosophes qui font de la littérature, les philosophes de la tradition culturelle française, “ hommes de lettres qui savent les choses à moitié ”. On pourrait le traduire comme ça.

– Et maintenant, donne-nous la référence bibliographique exacte.

– Je n'y vois aucun inconvénient. C'est tiré d'une lettre à Engels écrite en 1873, qu'on trouve dans le *Marx-Engels Werke*, publié par Dietz Verlag. Avec un petit effort, je pourrais même retrouver la page exacte. »

Il riait de sa propre pédanterie.

« Quel enfant de putain. »

Commenta Sitjar, tout en cherchant un endroit où poser ses pieds, qui semblaient écrasés par le poids des connaissances de Betriu.

« Impossible de rivaliser avec ce type. Il ne bouffe pas, ne chie pas, ne baise pas. Il étudie. »

Sitjar faisait semblant de manger un livre, comme si Betriu alimentait ainsi sa science.

« Ta tactique est mauvaise. Tu devrais réfuter mes arguments, même par une fausse démonstration. Les fausses citations sont indestructibles à condition qu'elles aient l'air vraisemblables. Par exemple, *Die wissenschaftslogik bei Marx und “ Das Kapital ”*, de Jindrich Zeleney, ça existe ou ça n'existe pas ?

– Va te faire foutre. Bien sûr que ça existe, je ne lis que ça.

– C'est vrai. Ça existe, c'est édité à Frankfort par l'Europäische Verlagsanstalt. Et non seulement ce livre existe, mais tu dois absolument le lire, parce que Zeleney est l'un des marxologues les plus importants d'aujourd'hui.

Fais attention, l'esprit " professeur titulaire " te gagne. On voit que ton poste est assuré. Si tu étais vacataire, tu serais déjà en train d'essayer de me démontrer que je n'en sais pas autant qu'il paraît ou que toute forme d'exhibitionnisme de ce genre conduit à l'inutilité scientifique, là où commence l'" inutile accumulation du savoir ", comme dirait Adorno. Elle est d'Ardono, cette citation ?

– Oh, ça va. »

Sitjar s'en fut vers ses classes en feignant l'indignation contre Betriu. Ce dernier rigolait en s'accrochant à mon bras comme s'il craignait de s'écrouler de rire ou que je m'en aille.

« La dernière était fausse. Adorno n'a jamais écrit ça, que je sache.

– Sitjar n'a pas tout à fait tort. C'est impossible de rivaliser avec toi. Je ne sais pas si c'est vrai ou pas, mais tu donnes l'impression de ne vivre que pour les bouquins, que tu n'aimes pas perdre ton temps. »

Betriu commanda une noisette et des gâteaux secs. Il semblait réfléchir profondément à ce que je lui avais dit.

« C'est vrai et ce n'est pas vrai. Comme tout ce qui affecte le comportement des hommes.

– C'est pareil pour Colom quand il fait son numéro d'arabisant. »

Il hennit plus qu'il ne répondit.

« Ne me parle pas de ce falsificateur, de ce provocateur. »

Cent douze élèves m'attendaient, prêts à entendre tout ce que je savais sur la conception pyramidale de la société au Moyen Age. Aussi laissai-je Betriu en train de manger une madeleine : on eût dit la madeleine de Proust conservée dans son huile. Fatigué de tenter de convertir le

Moyen Age en une époque fascinante pour cent douze personnes dont le problème crucial et immédiat serait d'obtenir l'indemnisation des grèves avant l'an 2000, je retournai à la cafétéria pour boire un verre. Elle était pleine d'étudiants silencieux ; certains avaient le nez plongé dans leurs livres, d'autres rêvassaient, un bon nombre bavardaient, et tous semblaient en harmonie avec le paysage imposant de ce milieu de printemps, qui entrait à flots par les portes vitrées grandes ouvertes. En bas, sur la pelouse, trois ou quatre jeunes filles offraient aux premiers rayons du soleil des décolletés, des jambes et des bras nus ; leurs jupes étaient remontées jusqu'à l'aine, et elles avaient le sourcil froncé des Belles au bois dormant en plein cauchemar. Elles avaient le même âge que moi quand les études m'assommaient et que, dans l'ancien bâtiment universitaire, je partageais mon temps entre la clandestinité, un savoir acquis à la va-vite et des pratiques morales adolescentes. A les regarder, il me semblait possible de sucer leur temps perdu, comme un vampire essayant de renouveler les cellules de son temps mort. En rentrant dans la cafétéria, le soleil accumulé dans mes yeux m'obscurcit la vue, et, après quelques pas dans la pénombre, je m'approchai du comptoir à la recherche d'un stimulant contre la mélancolie qui m'avait gagné. De l'autre fenêtre, Betriu semblait contempler le même spectacle charnel que j'avais admiré quelques instants auparavant. Je commandai un verre de fine glacée et m'approchai de Betriu sans attirer son attention. Il regardait les corps des filles comme s'ils lui faisaient mal aux yeux.

« Elles te plaisent ? »

Il sursauta et ce fut comme voir toute la candeur du monde dans ses yeux cristallins.

« Quoi ?

– Les filles.

– Ah, non. Je ne les avais pas vues. Je tentais de me rappeler comment était tout cela il y a quelques années. Tu te souviens quand ils ont commencé à construire les facultés ?

– Tout à l'heure, je pensais au vieux bâtiment, à notre vieille université. Tout était bien différent. Et nous aussi. Plus réprimés, plus inhibés, remplis de peurs réelles ou abstraites.

– Mes peurs ont toujours été bien réelles.

– Quelle chance ! »

Je le quittai sans comprendre les raisons de mon agacement. Mais le fait est que j'évitai de m'asseoir à la même table que Betriu, en prétextant pour moi-même l'arrivée de Luisa et un nécessaire tête-à-tête pour discuter, une fois de plus, des vacances. Luisa me demanda si j'allais à la fête des Royo, un couple de professeurs aragonais qui faisaient leurs adieux à la faculté avant de retourner dans leur région.

« Finalement, ils s'en vont ?

– Ils s'en vont. Certains disent qu'ils partent parce qu'ils en ont jusque-là du catalan.

– Personne ne les oblige à donner des cours en catalan.

– C'est une question territoriale. Il y a des territoires linguistiques et toute altération du statut est perçue d'abord comme un enquiquinement, ensuite comme une agression. Certaines réactions sont très viscérales. Je ne les réduirai pas à une question d'impérialisme idéologique castillan et tout ce qui s'ensuit. Les Royo sont très sympathiques. Viens à la fête. Ils seront très contents. Dis-le aux autres.

– A quels autres ? »

D'un geste, Luisa embrassa toute la cafétéria. Après avoir mangé, je passai la consigne aux élèves des cours supérieurs, qui aimaient fréquenter les professeurs, par ambition ou par désir d'enseigner, eux aussi, un jour. Betriu réserva sa réponse. « Laisse ton travail, pour une fois. » Il ne répondit ni oui ni non, et c'est pourquoi je fus si surpris de le voir apparaître soudain dans l'encadrement de la porte du living des Royo, une bouteille sous le bras, enveloppée comme un cadeau d'anniversaire. La maîtresse de maison dut presque la lui arracher des mains et le pousser au beau milieu des trente ou quarante personnes qui se bousculaient pour se servir de sandwiches, d'omelette aux pommes de terre, de verres en carton glacé remplis de vin de Carinêna.

« Mais c'est Betriu, c'est Herr Doktor Betriu ! »

On commença à lancer des plaisanteries affectueuses qui remplirent de petites lueurs polissonnes ses yeux de musicien ou d'obstétricien de génie. Les plaisanteries, les verres et les sandwiches qu'on lui tendait le transformèrent en invité d'honneur. J'allai commenter à Luisa le succès social de Tomás quand je découvris qu'elle l'examinait minutieusement, le disséquant presque, le regard voilé de sombres nuages annonciateurs de tempête. J'évitai d'aborder le sujet et lui offris du vin, tout en buvant moi-même entre des bribes de conversation qui échappaient à la thématique scientifique, politique ou professorale et dérivaient vers un érotisme éthylique intellectualisé, qui conduirait fatalement à quelque strip-tease incomplet et à des contacts plus ou moins furtifs entre couples mariés séparables ou entre célibataires restés sur leur faim. Je découvris soudain Betriu entouré de femmes qui s'amusaient de sa timidité. Betriu buvait du vin comme si c'était de l'eau. Ses yeux et même les verres de ses lunettes étaient injectés de sang. Il avait la loquacité pâteuse des ivrognes et des difficultés à se tenir droit quand il marchait. Ensuite, quand le strip-tease de Sanchez Peitx, spécialiste en sociolinguistique, fut comme convenu en partie consumé, et tandis que le bilan des faillites de la morale matrimoniale se réduisait à la fugue de la femme d'un vacataire de statistiques avec un agrégé d'économie, je cherchai Betriu. J'eus beau fouiller des yeux le tas d'invités surchauffés, je ne le trouvai pas, ni dans les autres pièces de la maison ni dans aucune des deux toilettes où je le cherchai aussi, un peu surpris d'ailleurs de mon intérêt pour Tomás Betriu.

Je rentrai seul à la maison parce que Luisa avait des examens à corriger et que l'un de ses fils devait se lever tôt pour partir en excursion avec le collège. La pleine lune avait des cernes bien marqués cette nuit-là, des cernes avinés, du même vin qui coulait à flots dans mes veines et commençait à circuler comme un fleuve épais à l'intérieur de mon corps. Je m'écroulai tout habillé sur le lit. Des cris poussés au loin me réveillèrent, mais mon cerveau, tout entier occupé par un polyèdre de douleur absolue, ne put les enregistrer tout à fait. Quelques minutes plus tard, je vomis et pris deux Alka-Seltzer. Les cris me revinrent en mémoire et je me penchai à la fenêtre, mais je me heurtais seulement au parfum des fleurs d'oranger du jardin public et à une éclipse de lune causée par des nuages lents. J'avais des renvois d'omelette aux pommes de terre et je me mis à rire tout seul en me rappelant le commentaire de Sitjar.

« Les omelettes me font peur.

– Pourquoi ?

– Je ne digère pas les oignons. »

Apparemment, moi non plus je ne digérais pas les oignons. Je me réservai d'en faire le commentaire à Sitjar le lendemain au petit déjeuner. Ce fut impossible. Grand, rouquin, rubicond, la peau pleine de taches de rousseur, Sitjar était ce matin-là le centre d'une conversation secrète, sur un thème, semblait-il, confidentiel, qui réunissait presque tous les professeurs présents au petit déjeuner. Je m'approchai du groupe.

« Elle avait le ventre béant, comme si on lui avait fait une autopsie. »

Deux ou trois bribes de cette conversation insolite me poussèrent à demander : « Qu'est-ce qui s'est passé ? », et tout le monde se mit à parler en même temps pour me raconter l'événement, au milieu de bousculades verbales. Une jeune Vénézuélienne, étudiante en sciences de l'information, avait été trouvée violée, mutilée et assassinée.

« Ça a dû se passer pendant que nous étions à la fête des Royo. Ou peu de temps après. »

Je ne dis pas que j'avais entendu des cris. Le corps avait été trouvé trop loin de chez moi pour que ces cris pussent être les mêmes que ceux que j'avais perçus ou cru percevoir. Betriu se joignit au groupe et montra une incapacité à assimiler l'événement égale à sa capacité quotidienne à digérer les faits scientifiques. Ils l'ont ouverte de la gorge au nombril ? Comment est-ce possible ? Violée ? C'est prouvé ? Après quoi il s'éloigna du groupe et alla s'asseoir à une table, resta un long moment absorbé dans ses pensées, le menton et les deux mains appuyés sur le manche de son parapluie. Il commanda un anis de Chinchón. Puis un autre. Le garçon revint cinq ou six fois à la table de Betriu, qui devint la nôtre quand vint l'heure du repas, car je voulus m'asseoir près de Tomás, pour des raisons que je ne m'expliquais pas très bien.

Il nous accueillit avec une joie légèrement alcoolisée. Pendant le repas, il troqua l'anis sec pour un pichet de rosé glacé qu'il catapulta dans les profondeurs de son estomac insatiable. Tout le monde n'apprécia pas ce brusque changement de conduite, mais je me souviens que Sitjar et moi échangeâmes un sourire complice devant les faiblesses alcooliques que nous commencions à entrevoir chez Betriu. Le changement d'attitude se fit ostensible pour tous quand Sitjar prononça très correctement :

« Je chie sur Proudhon et Karl Marx. »

La phrase sonna comme un coup de semonce annonçant d'imprévisibles événements. Betriu s'exclama résolument :

« Et moi je ne chie pas sur Hegel parce que le médecin m'a interdit de toucher de la merde. »

Nous tentâmes de l'empêcher de reprendre un anis après le café. Ce fut inutile. Il se souvenait, amusé, qu'il avait encore à faire un cours sur l'idée du progrès au XIXe siècle, qu'il devait participer à une table ronde sur « Écologie et marxisme » au Centre d'études marxistes. L'alternative verte. Nous n'eûmes pas besoin de le lui dire. Sitjar s'en fut chez le doyen pour faire annuler le cours, et non sans mal nous obtînmes que Betriu se laissât raccompagner chez lui pour se reposer et récupérer un peu de cohérence avant sa conférence.

« Je chie sur Jenny de Westphalie. Vous savez qui était Jenny de Westphalie ? »

Il n'était pas du genre alcoolique titubant. Au contraire. Il semblait sanglé dans un corset à baleines et il nous suivait avec la rigidité du hussard de Chernopol. Sitjar et moi, nous nous chargeâmes de le raccompagner chez lui et nous prîmes ma voiture, parce que Betriu avait choisi un appartement avec jardin aux abords de la Cité universitaire.

« Il n'y aura personne. Il n'y a jamais personne. Je chie sur Hobsbawn. " Bien que l'histoire de toute économie capitaliste puisse être étudiée en elle-même (ou dans sa relation naturelle avec d'autres économies, ce qui, au fond, revient au même), il est toutefois essentiel de l'analyser dans le contexte du monde capitaliste en général. " Ça vous paraît possible de continuer d'écrire à tort et à travers de telles conneries ? »

Un petit jardin bien entretenu, avec des touffes régulières de belles-de-nuit sauvages, des lauriers, des plantes aromatiques, du romarin fleuri, un petit saule bien arrosé. Ensuite, le spectacle d'une maison aux murs invisibles, matériellement recouverts de livres, sentant le renfermé et le tabac de pipe hollandais. Nous cherchâmes sa chambre à l'étage. Il se laissa tomber sur le lit, mais se fit agressif quand nous entreprîmes de le déshabiller, se cachant obstinément les parties des deux mains. Nous le laissâmes seul, en tête à tête avec le manège accéléré de son plafond, la respiration pleine de ronflements ratés. Sitjar chercha en vain du bicarbonate de soude ou de l'Alka-Seltzer. J'eus plus de chance que lui et trouvai un sachet de camomille. Pendant que je préparais l'infusion, j'entendis les cris de Sitjar en bas. J'accourus à son appel du fond de la cave, descendant par l'escalier de bois vermoulu récemment verni. Sitjar m'attendait à la lumière d'une ampoule nue qui pendait du plafond. Tout autour, c'était un océan de bouteilles vides, inhabitées mais comme en attente, encadrant un vieux fauteuil tapissé de plastique, placé sous l'ampoule à côté d'une petite table qui soutenait, ouvert, *La Crise du progrès,* de Georges Friedman.

« Merde alors. C'est là qu'il prépare ses cours. »

Sitjar m'en montra pour preuves le cendrier plein de cendres et de copeaux de tabac de pipe, le verre presque usé à force d'être utilisé, qui contenait encore des restes d'une liqueur épaisse.

« Drambuie. »

Diagnostiqua Sitjar après l'avoir reniflée. Toute la propreté de l'appartement d'en haut s'évanouissait dans cet antre oxydé et poussiéreux puant l'alcool aigre. Le sous-sol avait une porte donnant directement sur la rue de derrière, à la frontière des terrains de la Cité universitaire, frontière délimitée par le mur d'un couvent de clarisses. L'ouverture de cette porte provoqua une bataille rangée entre l'air rance accumulé dans la cave et un parfum de chèvrefeuille qui venait probablement du jardin des clarisses. Je ne pus assister trop longtemps à cette lutte, car de nouveau les appels de Sitjar me réclamaient. Il avait ouvert une porte donnant sur un petit débarras à moitié caché par l'étagère de bouteilles de vin. A l'intérieur, au milieu d'objets cassés, de coffres, de saucissons qui pendaient, il s'était installé une loge, avec une coiffeuse, un miroir entouré d'ampoules, une petite armoire en bois avec des portes striées comme des persiennes, dans laquelle se trouvaient des perruques aplaties et des barbes postiches.

« Et regarde ça. »

Ça, c'était un coup de poing américain, une bombe défensive anesthésiante, un couteau à cran d'arrêt avec une lame de quinze centimètres de longueur, et des objets orthopédiques rangés dans un petit tiroir qui s'ouvrait mal à cause du bois gonflé d'humidité.

Le grincement des marches nous fit abandonner l'habitacle et affronter un Betriu vacillant, essayant de descendre l'escalier comme si une houle de tempête voulait l'en empêcher.

« Où êtes-vous ?

– On cherche l'Alka-Seltzer.

– Vous croyez peut-être que j'ai une cave pleine d'Alka-Seltzer. En fait, c'est un débarras. »

Il nous tourna le dos et nous le suivîmes. Il se dirigea sans tituber vers le réfrigérateur, en sortit une carafe pleine d'eau glacée et but directement sans s'inquiéter du liquide qui lui dégoulinait des deux côtés de la bouche et trempait sa chemise qui resta collée sur sa poitrine. Il éructa et respira avec une avidité qui faisait plaisir à voir.

« L'anis de Chinchón, c'est mortel. »

Ses rares cheveux, humides, cherchaient toutes les directions possibles pour découvrir les clairières dévastées de son crâne, la peau rosée du cuir chevelu. Les yeux malades, rouges, comme nus sans les lunettes. Les lèvres gonflées par la soif. Des mouvements saccadés, comme si tout son corps était rempli de plomb. L'eau qui avait coulé sur sa poitrine semblait un mélange de sueur et d'huile ruisselant de ses traits décomposés.

« Ça va mieux. Merci. »

C'était une manière de nous dire de partir. Nous ne fîmes pas de commentaires pendant que je raccompagnais Sitjar à la faculté, mais chacun de nous pensait au mystère de cette cave faite à la mesure d'un Betriu inconnu. Cette nuit-là, j'avais à corriger le dernier examen trimestriel, mais j'organisai quand même une rencontre avec Luisa dans une auberge argentine qui venait de s'ouvrir sur la route.

« Pourquoi tant d'urgence ?

– Je suis déprimé.

– L'histoire de la fille ? C'était une de mes anciennes élèves. L'année dernière, j'ai donné en sciences de l'information un cours sur la psychologie de masse. C'est horrible. Ce ne serait pas sans lien avec l'agression de deux femmes de ménage dans la faculté d'économie. Une en janvier, l'autre au printemps dernier, il y a presque un an. Ces fois-là, il n'y avait eu que viol et coups.

– Et l'agresseur ?

– Elles n'ont pas su ou pas voulu le décrire. Ça s'est passé de la même manière, mais les descriptions étaient différentes. Il les frappe dans l'obscurité, les étourdit, les menace, ensuite fait ce qu'il peut, encore quelques coups et ciao. Presque sans parler, avec des cris gutturaux. Mais cette fois, il a été trop loin. »

Je lui racontai ce qui était arrivé avec Betriu et ce qu'on avait trouvé chez lui. Elle m'écoutait avec une attention absolue, comme si tout son corps exigeait que je continue de parler, que je lui révèle tout le plus vite possible.

« L'autre jour, tu as commencé à me dire quelque chose à propos de Betriu.

– C'était une confidence que m'avait faite une élève. Je crois que maintenant il vaut mieux que je te la raconte. Tu sais comment est Betriu : timide et réservé. Un soir, une de mes élèves se trouvait dans une discothèque du bord de la route. Elle était en train de se disputer avec son petit ami, c'est-à-dire qu'ils faisaient le point et avaient décidé de se séparer parce que les choses n'allaient pas. Ils avaient fumé quelques joints et étaient un peu partis. Soudain, ils ont aperçu Betriu à l'extrémité du bar, comme fuyant la lumière. Il buvait un verre après l'autre. Un peu pour embêter son copain et aussi à cause de la solitude de Betriu, elle s'est approchée de lui et a commencé à lui lancer quelques plaisanteries. Avec, tu imagines, un peu de malice, parce qu'elle avait découvert un Betriu buveur et noctambule, et un peu de tendresse pour le célibataire solitaire et timide. Mais Betriu joua très bien le jeu, il semblait transfiguré, il lui faisait des avances, le type, il s'y croyait. La fille a été jusqu'au bout et peu après elle entrait chez Tomás, avec, déjà, la moitié de sa main à lui dans le soutien-gorge. C'est alors qu'elle a perdu soit son courage, soit sa curiosité. Toujours est-il qu'elle a commencé à avoir peur ou à être un peu dégoûtée par ce type à moitié bourré qui essayait de rester brillant au milieu des ruines de sa lucidité. Elle était presque nue quand Betriu a enlevé son pantalon et est resté comme ça, le derrière à l'air, mais avec ses chaussettes. Tu imagines ? Elle lui a dit qu'elle n'avait pas pris sa pilule, qu'elle avait oublié son diaphragme ou je ne sais quoi. Alors, il l'a obligée à le sucer et à se mettre à quatre pattes pour qu'il la sodomise. A moitié morte de peur, la fille l'a laissé faire et n'a presque pas opposé de résistance. Lui, ou il ne savait pas ou il ne pouvait pas la pénétrer et la scène s'est prolongée jusqu'à ce que les nerfs de la fille craquent et qu'elle commence à crier. Betriu l'a flanquée dehors et a jeté ses vêtements dans le jardin pour qu'elle s'y rhabille.

– Il l'a brutalisée ?

– Pas d'euphémismes, s'il te plaît. Il ne l'a ni pénétrée ni battue. Il a eu la réaction habituelle chez un timide sexuel qui trouve soudain une occasion en or : une fille jeune, presque sans expérience, fascinée.

– C'est elle qui est venue se fourrer chez lui.

– Lui, il a utilisé la contrainte du prestige professoral et intellectuel, et il a profité de la sensibilité de la fille pour lui inspirer de la tendresse. La fille a mis des mois à s'en remettre et elle va toujours chez le psychiatre.

– Elle va chez le psychiatre pour être entrée ou pour être sortie de chez Betriu ?

– Tu le défends parce que c'est un copain. Mais tu sais très bien qu'il aurait dû respecter le refus de la fille. »

A partir de cette conversation, l'espionnage de Betriu devint chez moi une obsession. Et sans que nous nous soyons concertés, Sitjar lui aussi le surveillait à distance, bien que Tomás fût toujours le même professeur au savoir époustouflant, ponctuel, aimable, faisant preuve de courtoisie, mélange de bonne éducation et de timidité congénitale. Le cas de l'étudiante vénézuélienne sembla résolu avec l'arrestation d'un facteur qui portait les mandats télégraphiques à domicile et fréquentait assidûment la résidence des étudiants où vivait la fille. En outre, nous étions tous pressés que les cours se terminent.

J'avais devant moi la perspective d'un été avec Luisa, à travers l'Arcadie, depuis Nauplie jusqu'à Olympie, ou de vacances à Camprodón, dans la ferme de mes parents, pour terminer enfin mon essai sur les superstitions en Catalogne pendant l'époque dorée de l'Inquisition. Luisa ne parvenait pas à se décider, et sa proposition de faire un voyage en Grèce avec ses enfants me déplut tellement qu'elle le remarqua malgré mon silence et effaça la proposition d'un geste de la main, comme si elle était restée écrite en l'air.

« Comprends-moi. »

On était au milieu du mois de juin quand je fis passer les derniers examens. Ce jour-là, je restai dans mon bureau jusque tard dans la nuit pour commencer à corriger les copies. Je sortis un moment me dégourdir les jambes sur la pelouse et vis de la lumière dans le bureau de Betriu. Quand je rentrai, mes pas me conduisirent jusqu'au couloir où se trouvait son bureau et ma main poussa doucement la porte vitrée ; par l'entrebâillement, j'aperçus un Betriu affalé sur son fauteuil tournant, un verre rempli de glace et de Cointreau à la main. La bouteille posée sur des copies d'examen lui servait de presse-papiers. Betriu parlait tout seul et se répondait à lui-même en bafouillant quelque chose d'inintelligible mais probablement très drôle, semblait-il, car il riait de ses réponses. Je me retirai et téléphonai à Sitjar pour lui donner rendez-vous immédiatement à l'entrée principale du campus, près du rectorat. C'était un bon poste d'observation pour épier les faits et gestes de Betriu : on voyait la lumière de son bureau et le parking où il garait sa voiture. Sitjar arriva et s'installa à côté de moi sans rien me demander.

Nous fumions en silence sans quitter des yeux la lumière de la fenêtre.

« Ça peut durer toute la nuit.

– Ou je reste ou j'explose.

– Ça fait des semaines que je ne dors pas à cause de cette histoire. »

Au loin brillaient les feux d'un parc d'attractions itinérant qui s'installait là tous les étés, au point d'être devenu le signe du changement de saison.

« Ça me rappelle une photo de Nietzsche publiée dans une biographie de Lou Andreas-Salomé. »

Sitjar haussa les épaules.

« Lou Salomé a été la maîtresse de Nietzsche, de Rilke, de Freud...

– Une collectionneuse ?

– Dans un certain sens. Dans ce livre il y avait la classique photo de foire truquée : une carriole en carton, Nietzsche à la place du cheval et Lou Salomé sur la carriole, comme si elle le fouettait. La photo est la preuve que même l'être humain le plus intelligent recèle dans un obscur recoin de son âme la stupidité la plus féroce.

– La stupidité est un moindre mal. La méchanceté, c'est ça qui est grave. »

Je pensai à ma cruauté, quand j'avais tenté, quelques heures plus tôt, d'obliger Luisa à passer l'été avec moi, en brandissant ses enfants comme une épée de Damoclès au-dessus de nos vacances. J'imaginai leurs silhouettes floues d'odieux rivaux que je n'aurais aucun remords à effacer de notre vie. J'avais déjà imaginé la rupture matrimoniale définitive de Luisa, son arrivée chez moi avec tous ses enfants et mes tentatives ultérieures de la convaincre de les mettre en pension.

La lumière s'éteignit. Quelques minutes plus tard, Betriu apparut à la porte de la faculté. Il respira plusieurs fois, du plus profond de ses poumons. Il ne restait que trois ou quatre voitures en stationnement, mais Betriu scruta le parking comme s'il lui en coûtait de distinguer la sienne. Il eut de la peine à faire entrer la clef dans la serrure et, quand il démarra, j'étais déjà moi-même installé dans la voiture que conduisait Sitjar. Nous attendîmes qu'il nous ait dépassés pour allumer les phares et le suivîmes jusqu'à la route latérale qui mène à la résidence des professeurs. Il s'arrêta devant le jardin de son appartement, mais n'entra pas la voiture dans le garage. Il semblait guidé par une urgence obsessionnelle. Nous attendîmes à vingt mètres de la maison, tous phares éteints.

« Il peut très bien ne pas ressortir.

– Il a laissé la voiture dehors. Et il est si méticuleux.

– Il est bourré. »

Il ne se fit pas trop attendre. Il sortit la tête inclinée et la veste sur le bras comme pour se cacher le visage, mais il ne put empêcher que nous voyions la transformation de sa personne, engoncée dans un costume d'alpaga brillant, coiffée d'une perruque. Il paraissait plus grand. Il monta dans la voiture et démarra brusquement. Il avait envie de rattraper la route au plus vite et, une fois au croisement, il se lança à toute vitesse dans un tunnel d'ombres grises dessinées, une fois de plus, par la pleine lune. Je me souvins tout à coup que je n'étais toujours pas allé voir Riquer.

« Je me sens ridicule.

– Il faut parfois respecter l'enfant qui dort en nous. »

Mon propre rire me parut hystérique. Je me remémorais soudain comment, une trentaine d'années auparavant, nous avions pris en filature un professeur. Une douzaine de lilliputiens suivant ce jeune professeur au teint pâle, un peu benêt, qui écrivait des poèmes et avalait des œufs crus devant nous, comme un prestidigitateur ou un alchimiste. La filature du professeur nous conduisit à une teinturerie de quartier où, à la sortie du collège, il allait chercher sa mère qui y travaillait comme repasseuse. Nous le suivîmes trois ou quatre fois, jusqu'à découvrir que l'amour porté à une mère, veuve qui plus est, n'a rien à voir avec la suralimentation à coup d'œufs crus, surtout si le petit garçon a été un enfant souffrant de ganglions et un patient assidu des dispensaires.

La voiture de Betriu s'engagea dans le parking privé d'une discothèque rouge, éclairée comme l'antichambre de l'enfer. La quantité de voitures traduisait l'immensité de la discothèque, à l'esthétique préfabriquée, sorte de supermarché de son, de lumière, de sueur et de contacts furtifs. Dès l'entrée, la musique assourdissante nous assena en pleine poitrine et aux oreilles un coup qui nous fit sursauter d'indignation.

« Ça fait dix ans que je n'étais pas entré dans un antre comme celui-ci. A l'époque, Ottis Reding était à la mode.

– Préhistorique, fiston.

– Ma petite amie n'arrête pas de parler stars actuelles du rock, mais je n'arrive pas à me rappeler leurs noms.

– Tu n'arrives pas à les digérer.

– C'est ça. Je n'arrive pas à les digérer. »

Plus de cinq cents condamnés à ce vacarme faisaient semblant de le respirer, de le vivre, de le boire, de l'expulser avec une énergie renouvelable. Les éclairages cassaient les corps, les enveloppaient de tissus, projetaient leurs formes sur les tentures. Ils détruisaient la symétrie des visages et faisaient de la nature humaine un tableau peint par un Juan Gris ou un Georges Braque complètement soûls. Et pourtant, ces étranges créatures étaient contentes de leur sort et parvenaient même à parler pardessus le bruit, à se reconnaître et à s'aimer non seulement dans les coins mais debout, leurs langues vissées à des bouches étrangères, seule attache qui les empêchait de tomber et maintenait la verticalité brisée des danseurs. Vertical, Betriu avait la rigidité des momies et, un verre à la main, il battait de l'autre le rythme qui le fuyait comme un animal nerveux. De temps en temps, la lumière le révélait sous sa perruque grise et impeccable de cadre supérieur sortant de chez un coiffeur de renom. Cravate. Épingle de cravate. Poignets de chemise apprêtés grâce à l'indispensable concours de boutons de manchettes en or rehaussé de quelque diamant ou d'aigues-marines. Il était tellement fasciné par le spectacle que nous abandonnâmes notre prudence initiale pour nous approcher de lui. Nous restâmes derrière lui, moi avec un gin-tonic, Sitjar avec un San Pelegrino. Betriu cherchait des yeux les corps jeunes, de la tête il suivait leurs mouvements. Soudain elle se raidit. Il avait découvert une fille solitaire, s'en approchait sans dire un mot qui aurait pu signaler sa présence, comme frappé d'impuissance verbale devant l'impuissance du langage électroacoustique. Il semblait se contenter de la proximité des corps féminins. Parfois il s'aventurait à jeter des regards qu'ils ne relevaient pas ou acceptaient avec ironie.

« Qui c'est, celui-là ? »

Criai-je à un garçon en essayant de couvrir la musique de ma voix.

« Qu'est-ce que j'en sais, moi ? C'est toujours plein à craquer.

– Il vient souvent ?

– Parfois. Comme tout le monde. »

Betriu s'était accoudé au comptoir à côté d'une fille déguisée en femme fatale, les seins pointus, victimes d'un Cœur-Croisé. Magique. Betriu lui offrit un verre qu'elle refusa. Ils se penchèrent tous les deux jusqu'à ce que leurs fronts se touchent presque. Chacun essayait d'entendre ce que l'autre lui disait. Elle s'écarta pour éclater de rire et il trouva le courage de s'avancer pour presque se coller à cette fausse blonde. Elle recula d'un pas et désigna quelqu'un dans la foule. Betriu suivit des yeux la direction indiquée comme s'il essayait de distinguer quelque chose. Maintenant elle semblait indignée alors qu'il continuait de sourire. Sur un signe de la tête, il l'invita à sortir, mais elle lui tourna le dos et s'éloigna sans l'ombre d'une hésitation. Se sentant découvert, suspectant que le garçon avait peut-être vu la scène, Betriu haussa les épaules avec mépris, quêtant, d'un sourire complice, la connivence de ce dernier, lui commandant même un autre verre, histoire d'accentuer encore cette complicité. Il chercha ensuite la proximité de deux adolescentes insuffisamment accompagnées. L'échange de regards, paroles, sourires, rires, gêne, puis fuite se répéta. La nuit s'épaississait à l'intérieur et à l'extérieur du local. Une première vague quitta les lieux, puis une seconde. Puis vint le moment où la disproportion entre l'énormité du son et la rareté des danseurs se fit insupportable. Sitjar se prenait la tête à deux mains et me faisait des signes pour que nous partions.

« On l'attend dehors.

– Encore un moment. »

Betriu semblait fatigué. De son corps il cherchait d'autres corps mais avec moins de tension, comme vaincu. Finalement il sortit et alla se placer dans le passage qu'utilisent obligatoirement ceux qui quittent le local. Il fit quelques propositions à des filles seules, propositions qu'il renouvela alors qu'il était déjà assis dans sa voiture, la moitié du corps penché à la portière, s'offrant à raccompagner des femmes qui toutes avaient déjà quelqu'un pour les ramener chez elles. Il démarra quand il était déjà plus qu'évident que, cette nuit-là, il avait échoué sur toute la ligne. Il prit le chemin du retour avec une lenteur d'insomniaque et en arrivant chez lui tourna dans la rue de derrière pour garer la voiture près du mur du couvent. Il ouvrit la porte de la cave et y pénétra sans la refermer.

« Et s'il nous découvre ?

– Tu fais comme si tu étais bourré et tu dis qu'on passait par là.

– C'est un rationaliste, il ne le croira pas. »

Je ne lui donnai pas le temps d'hésiter davantage. Je poussai la porte délicatement. L'ampoule était allumée, le sous-sol vide, mais il y avait de la lumière dans la petite loge du fond. Sitjar et moi nous nous cachâmes derrière l'étagère de bouteilles à moitié inclinées, le goulot pointé vers le milieu de la pièce, vers le rond de lumière projeté, comme au théâtre, sur le fauteuil, la petite table, le verre, le cendrier, dans l'attente de l'acteur principal. Betriu fit son entrée sans perruque, ni veston, ni cravate, les manches de sa chemise roulées jusqu'au coude. Il s'approcha de l'une des étagères pleines de bouteilles et caressa leurs culs poussiéreux.

« Vous êtes là, petites, sauvées de l'incendie d'Alexandrie. Pleines de vérités qui ne font de mal à personne. »

Il attrapa une bouteille de vin au hasard et l'ouvrit avec un tire-bouchon accroché à un clou fixé dans le bois de l'étagère. Il s'en versa un verre, l'agita et jeta le liquide par terre. Il renifla le verre. Le remplit jusqu'au bord et l'avala d'un coup. Il ouvrit le livre posé sur la petite table, *Histoire de la théorie politique,* de George Sabine (édité par Fondo de Cultura Económica, Mexico, Madrid, Buenos Aires, 1974). Il pencha lentement la bouteille au-dessus du livre. Je dus empêcher la réaction instinctive de Sitjar qui voulut éviter de verser le vin sur le livre ouvert qui, imbibé, se métamorphosa en ivrogne de papier.

« Bois, salaud. Bois et vis. »

Disait Betriu à haute voix. Il posa la bouteille sur la table, se saisit du livre, commença à l'effeuiller calmement au début, puis frénétiquement, en haletant, et en l'insultant.

« Vis, salaud, vis ! »

Quand il eut terminé sa destruction, il piétina ce qui en restait par terre. Puis il se laissa tomber dans le fauteuil de tout le poids de son cul et de toute la colère de son vin, tant et si bien que les pieds de devant du fauteuil se soulevèrent et qu'il faillit tomber à la renverse. Il demeura immobile, plongé dans ses pensées. Marmonnant des mots que lui seul entendait. Puis il se leva avec une lourdeur de pachiderme, monta les escaliers les genoux pliés, agrippant la rampe de son bras droit. Moi, j'en avais assez, mais Sitjar le suivit sans que j'essaie de le retenir. Je sortis dans la rue pour fumer une cigarette et me mettre en harmonie avec la logique du petit matin qui révélait les ocres rongés du mur du couvent. La lune avait disparu et le soleil, encore lointain, tentait de chasser la nuit. Sitjar sortit, le visage fatigué et crispé.

« Il dort ?

– Non. Il se masturbe dans les chiottes. »

1982

Moi, je ne me laisse pas peloter par les types dégoûtants

« Et avant d'être travesti, tu étais quoi ?

– Rien. »

Moue de rouge à lèvres pour adapter la bouche à la forme de l'olive.

« Merde, Sebas. C'est pas des olives ça, elles sont pas fourrées. Qu'est-ce que tu lui as mis dedans à cette pauvre petite ? »

Et Carmen la Ténébreuse garde l'olive sur la pointe de ses lèvres, comme pour l'offrir au barman peu enthousiaste qui n'a déjà pas assez de mains pour préparer les six cafés, les additions et les *patatas bravas* que lui réclament la Grande Marquise et son micheton, Cent-mains. L'olive à la pointe d'un silence au rabais et les deux petits yeux noircis de vieux rimmel rance, parcourant malicieusement la grande bouche de Sebas et sa pomme d'Adam batailleuse, en haut, en bas, au rythme de ses allées et venues de barman en cage. La Ténébreuse ne quitte pas des yeux Sebas, tout en supportant le brillant discours éthylique du binoclard chauve qui l'éclabousse de bave de whisky à l'eau, tout en lui posant des questions métaphysiques.

« Et si tu étais rien, tu étais quoi ?

– La fille de ma mère.

– La fille ou le fils de ta mère ? »

Il se trouve très drôle, le binoclard aux petits bras maladroits qu'il agite comme s'ils étaient de lents moulins à vent, devant la face anguleuse du travesti.

« Tu viens aux chiottes, mon amour ? C'est douze mille balles, plus les consommations et le pourboire.

– Aux chiottes, moi, avec un mec ? »

Le binoclard est descendu du tabouret de bar et sa petite tête arrive à hauteur du méchant décolleté de la Ténébreuse.

« Qu'est-ce que tu es grande !

– Si c'est ça, je me mets à genoux et je lui fais un traitement au petit quart de poil, à cette petite olive si savoureuse que tu dois avoir là. »

Et la Ténébreuse donne un petit coup sur la braguette de l'hésitant.

« Bas les pattes ! Moi, je ne me laisse pas peloter par un type dégoûtant. »

Et le binoclard se retourne vers ceux qu'il suppose être les témoins de sa virilité, mais il ne rencontre que des attitudes indifférentes, chacun dans son nuage d'alcool ou de mots, dans une galaxie de fumée trouée de lumières, de cadavres ambulants et d'expressions déformées par l'électricité de l'air.

« Moi, je ne marche pas avec ces types-là. »

Explique-t-il au barman tout en tapant sur le comptoir. Sebas le regarde en coin, les mains sur le chiffon avec lequel il efface les traces d'eau sur le comptoir en Formica tout abîmé. L'œil du barman suit maintenant la sortie de la Ténébreuse, sa démarche de mannequin de haute couture des années quarante, ses jambes musclées, ses bas à résille, ses chaussures à talons aiguilles qui font pointer les petits seins au-dessus des regards dubitatifs des autres, sa face chevaline maquillée d'une pâleur olivâtre et son sourire de poupée laide et méchante. La Ténébreuse se laisse tomber sur le canapé qui entoure le bar, chute contrôlée pour que les jambes tombent croisées à l'instant même où son petit cul décharné rencontre le plastique du siège. D'un côté, Rosalinda, un ancien routier de Valence qui transportait des oranges, et de l'autre le Choni, maquereau de l'une et de l'autre.

« Il t'embête, ce type ?

– Un pauv'salaud de connard. Il est cinglé et il arrête pas de déblatérer. Et qu'est-ce que j'étais moi avant d'être une fille, et tout ça pour des prunes, pour me coller, et à la fin se tirer.

– Je le cogne ?

– Laisse-le, Sebas n'aime pas la bagarre et il t'a déjà dans le nez.

– File-moi un peu de fric, je vais au ciné.

– Un peu, non, je te donne tout. Prends. »

Et elle lui met un billet de mille dans la main comme pour dissimuler sa mendicité et essaie de garder dans la sienne la main de l'homme pour se dédommager en tendresse, mais il est très renfermé le Choni, comme le lui dira plus tard Rosalinda, avec cette voix d'avant-centre que Dieu lui a donnée, d'avant-centre fonçant tête baissée vers les buts, comme les joueurs d'autrefois.

« Mais, de temps en temps, il pourrait être affectueux.

– Attention, le voilà. »

Le binoclard baveux s'approche en effet vers leur table, conscient que les deux travestis sont seuls et qu'il a une dette d'attention à se faire payer.

« Écoutez, mademoiselle. Mademoiselle ou monsieur ? Parce que c'est toute la question. »

C'est toute la question, répète-t-il en s'adressant à Rosalinda, qui ne le regarde même pas, pour ne pas être obligée de le toiser.

« Toi aussi, t'es comme ta copine ? Toi aussi, tu marches à voile et à vapeur ?

– Mais qu'est-ce qui vous prend, casse-pieds ? On vous a demandé quelque chose ? Retournez d'où vous venez ! »

La Ténébreuse a dit ça d'une voix de fausset, d'une voix d'ivrogne imitant les pédés.

« Re-tour-nez-d'où-vous-ve-nez !

– Mais c'est qu'elle fait des manières, la pute.

– La ferme. »

Le « la ferme », c'est Rosalinda qui l'a dit.

« Comment ?

– La ferme.

– Pour qui tu te prends, sale pute, pour me dire de la fermer ? »

Rosalinda se lève, bloque le bras du client avec le sien, et dans un bruit de talons l'entraîne vers les toilettes, sans que les trépignements désordonnés du petit homme ne gênent le moins du monde son avancée. Et derrière, la Ténébreuse, se foutant pas mal des jérémiades de l'emmerdeur, encourage Rosalinda à le jeter dans la lunette des chiottes, pour le punir d'être un sale con dégueulasse. Et une fois dans les toilettes, ils se regardent tous les trois, le petit homme écrasé par sa peur naissante, Rosalinda, étonné de sa propre force, et la Ténébreuse, l'inspiratrice, l'intellectuelle, théorisant sur la nécessité de lui donner une leçon, qui prend l'initiative, car il n'y a pas de théorie qui vaille sans la pratique, et donne un bon coup au baveux, un coup qui l'assoit sur la cuvette, et, une fois assis, c'est au tour de l'ancien camionneur de lui filer une raclée, il lui arrache ses lunettes, recommence, et dans ses yeux nus et écarquillés viennent se planter les ongles de la Ténébreuse, pendant que Rosalinda lui donne des coups de pied dans la braguette. Et il crie et se tord, le baveux, les yeux enfoncés et les couilles lilas, il n'arrive même pas à se protéger des poings de Rosalinda et des ongles ensanglantés de la Ténébreuse. Il tombe sur le sol le baveux, et là elles le ruent de coups de talon, les mains protègent les tempes, puis les mains blessées abandonnent les tempes et soudain Rosalinda a l'idée de lui soulever la tête et, comme s'il s'agissait d'une noix de coco, de l'éclater contre le bord de la lunette, là où il reste encore quelques traces des dernières gouttes de pisse. Le bruit du crâne brisé impose le silence, calme les respirations, lisse les robes, remet les seins à leur place et calme l'agitation du visage dans le lac paisible du miroir.

« Au fait. Qui c'était, celui-là ? »

De la poche intérieure du veston du petit homme dépasse un portefeuille, et du portefeuille une carte d'identité que la Ténébreuse, myope, frôle de ses faux cils.

– Professeur d'université.

– Catalan ?

– Il s'appelle Morell.

– Putain de sa mère. »

Conclut Rosalinda en ouvrant la porte pour laisser passer sa copine, tandis que la carte tombe en tourbillonnant dans le gouffre des latrines.

1984

Les demoiselles à l'éventail

Chaque année, on dit que les baleines remontent le golfe de Californie, mais l'étranger arrive toujours à contretemps ; ou elles sont déjà parties ou elles ne sont pas encore arrivées, entre deux levers de soleil tropicaux trop éloignés l'un de l'autre. Il leur faut donc se satisfaire des lions de mer, sculptures mobiles sur les rochers du cap San Lucas, qui leur donnent la couleur et presque la texture de la pierre. La mer fait briller leur peau, une mer épurée par le filtre de la Fenêtre des Deux Mers, qui relie le golfe de Californie à l'océan Pacifique. La pointe de la presqu'île de Californie, si proche de la frontière des États-Unis, si éloignée de Mexico, patrouillée par une flotte américaine, sans nul doute innombrable, formée d'arrogantes vedettes garde-côtes d'un cul-de-sac de l'Amérique. Corollaire, subjectif et objectif, des bateaux à coque de verre pour touristes hors saison : Mexicains, succédanés de gringos, Allemands et un Espagnol dévisagé avec la même curiosité que celle que suscita Cortés quand il sortit son épée de sa braguette. Et dans le bateau, deux demoiselles, de Puebla, disent-elles, mais elles pourraient être de Cuenca ou de Zaragoza ou de Gérone. Petites pour n'avoir pas grandi, desséchées par trop d'abstinence, brunies par la maigreur et les soleils ancestraux, elles s'éventent de la main, les demoiselles à l'éventail. Mine de rien, elles éventent l'horizon qui va jusqu'en Chine comme si c'était le bord d'un étang artificiel du parc de leur Puebla natal. Et elles éventent les navires de guerre qui les surveillent.

« Qu'est-ce qu'ils sont grands ! Mais qu'est-ce qu'ils sont grands ! Nous en avons au Mexique des bateaux si grands ? »

L'homme, la quarantaine, leur dit que oui, que tout ce que nous avons au Mexique est très grand. Le quadragénaire et ses deux jeunes compagnons se donnent des coups de coude trop évidents. Et les deux demoiselles de Puebla – ou de Cuenca ? – ouvrent la main en éventail pour dissimuler leur rire, mais quand elles posent des questions, c'est des deux mains qu'elles suggèrent la taille des bateaux de guerre mexicains, de tout ce qui est mexicain.

« Nous en avons des comme ça, monsieur ?

– Plus grands.

– Comme ça ?

– Encore plus grands.

– Plus grands ! »

Et elles ferment l'éventail pour mieux l'agiter, additionnant des chiffres fantastiques et retenant, de l'autre main, un rire d'alcôve. Ay, ay, ay, ay, ay, ay, ay, gloussent doucement les demoiselles à l'éventail, comme si elles proposaient de signer la paix au cours d'une fête qu'elles auraient organisée. Et elles s'agitent pour attirer les regards, elles soupirent, ouvrent grand les yeux, s'étonnant de choses personnelles et incommunicables ; elles se racontent des histoires de Puebla ou des histoires de famille qu'elles seules connaissent, ou des fins de batailles qu'elles seules ont perdues. On dirait deux pédés efféminés, les demoiselles à l'éventail. Elles s'embrassent, transportées par la beauté de la côte que le capitaine serre au plus juste, comme si le bateau était en train de casser la pointe de la presqu'île de Californie. Elles imitent les pélicans, les demoiselles de Puebla, et les animaux s'envolent, par dignité ou par méfiance, ce qui revient au même ou presque.

« Et vous, d'où êtes-vous ?

– D'Espagne.

– D'Espagne ! Mon papa est espagnol !

– C'est grand-père.

– Ah non ! Ce n'est même pas grand-père ! C'est l'arrière-grand-père ou quelqu'un d'autre encore plus vieux, bien plus vieux, quelqu'un de très vieux a dû être espagnol. »

Elles éventent à présent l'arbre généalogique pour le cas où il en tomberait le souvenir définitif d'un hidalgo, l'épée au côté. Mais il ne tombe plus aucun soldat de plomb et les demoiselles à l'éventail se mettent à chanter la chanson du voyage en bateau qui s'achève : *« volver, volver, volver... quiero volver... sé perder... »* Les gringos en vacances hors saison s'extasient devant ce *corrido* spontané et les Mexicains leur lorgnent le cul, aux demoiselles à l'éventail. Des culs jumeaux, serrés dans des shorts en latex, qui tiennent presque dans la paume de la main du Mexicain quadragénaire qui les pousse vers l'embarcadère.

« Quelles grandes mains vous avez, monsieur ! »

Elles se disputent le Mexicain à coup de battements de leurs faux cils en éventail. Elles étaient de Puebla. Peut-être de Cuenca. Les demoiselles à l'éventail.

1985

Paysage d'adolescence avec église romane engloutie

Parce qu'il portait des lunettes épaisses comme des culs de bouteille et qu'il transpirait de tout son front, haut et poreux, toujours perlé de sueur même sous les cheveux gris décimés ; parce que son nez violacé et nu transpirait et que ses mains aussi transpiraient comme si elles portaient des gants de sueur, nous pensions que le señor Pere serait un oiseau de passage dans le collège, pour peu qu'on lui attribue la classe de français des troisième année, une heure supplémentaire de une heure à deux heures de l'après-midi, et que Corvin, Roig et Casablancas se limitent à l'embêter le soir pendant les classes de latin, de sept à neuf, quand les volumes du patio commencent à s'estomper derrière les carreaux de la fenêtre, dans la nuit humide de cet automne arrivé brusquement.

« C'est une église romane ! »

Hurla le señor Pere la première fois qu'il entra dans le patio et vit ce qui ressemblait au dos d'un bossu de pierre, et qui avait été pour des promotions et des promotions d'élèves du collège Santa Clara l'endroit où ils allaient, sans vergogne et en toute innocence, soulager leur vessie.

« Une église romane ! Voilà l'abside, et la façade doit

être cachée par la boutique du tailleur et le bureau de tabac qui donnent sur la place. »

Pour nous, c'était un édifice inexplicable, hissé sur l'immense terrasse d'un lavoir public, et qui se distinguait par des patios intérieurs et des façades habillées de draps étendus et couvertes d'une oxydation grise due en partie au temps, en partie aux regards humides des voisins, des petits vieux penchés toute la journée au-dessus de l'impossible spectacle d'un horizon bouché. Mais, plus que la nouvelle de cette découverte d'intérêt artistique, ce fut sa voix de ténor trop lyrique qui vint s'ajouter à la liste, déjà longue, de tout ce qui en lui nous irritait. La structure de son corps ne l'aidait pas beaucoup non plus, avec un cul puissant et projeté en arrière, la poitrine rentrée à cause du poids excessif de deux bras longs et gras. Mais c'était surtout la bouche, cette bouche épaisse, comme une blessure transformée en fleur charnelle et mauvaise, toujours entrouverte sur le luxe de deux dents en or vert, unique richesse imaginable dans ce grand corps fatigué et vêtu d'un costume de velours, râpé par endroits jusqu'à la trame. En tous points il était un contresens comparé à don Raúl. « Le Maure », directeur du collège et professeur de mathématiques, histoire, grammaire, cosmologie et formation de l'esprit national – les quatre seuls cours de baccalauréat que le collège dispensait dans une seule salle de classe –, s'efforçait de remplir le quartier d'adolescents aspirant à vieillir comme employés à la succursale de la caisse d'épargne de la rue de l'Hôpital. Ancien combattant athlétique du parti des vainqueurs de la guerre civile, le Maure ne se serait jamais exclamé tout à trac : « C'est une église romane ! » Il ne s'était peut-être même jamais mis à la fenêtre, vautour aux aguets de nos faits et gestes, sans autre faiblesse que de projeter sa main droite vers l'abîme béant de la poitrine de doña Rosario, depuis de longues années maîtresse de maternelle, dotée de seins semblables à des culs, qui attiraient comme une bouche d'égout le bras du directeur, à la faveur de la pénombre propice d'après-midi d'hiver mal éclairées. La main du Maure disparaissait dans le décolleté de la vieille comme en un parcimonieux exercice d'automutilation, jusqu'à ce que son bras ressemble au moignon d'un manchot, un moignon de plus dans ce repaire de boiteux, de manchots, d'aveugles qui remplissaient les rues de chansons tristes et d'aumônes. Les gifles du Maure étaient le langage du pouvoir, alors que le señor Pere pensait qu'en adaptant sa voix lyrique au langage de la persuasion il obtiendrait que nous apprenions l'ablatif absolu, ou un fragment de l'enfance de Diderot, parabole au service de sa théorie sur la bonté de l'homme, fondée sur un idéal de modestie. Mais, après que Corvin lui eut collé plusieurs fois un chewing-gum sur le fond de son pantalon, que Roig lui eut taché d'encre le dos et le plastron avec de la craie trempée dans les encriers de plomb de ces pupitres de bois à la fois lourds et pourris, et que Casablancas, fort de sa corpulence, eut réussi à le faire tomber dans l'escalier sous prétexte de s'agripper à lui lors d'une soudaine perte d'équilibre, le señor Pere, au lieu de les dénoncer au directeur, les invita à faire une partie au baby-foot du coin récemment inauguré, et leur proposa une excursion dans la montagne sacrée catalane, sacrée grâce à la présence d'une Vierge, mais aussi, au dire du señor Pere, parce que y habitait l'esprit indestructible des patriotes catalans. Pendant l'excursion, le señor Pere nous chanta une chanson dont certains savaient qu'elle était interdite, et, arrivé en haut, il se mit à pleurer en récitant des vers sur le passé de la Catalogne et de son peuple, peuple malchanceux, disait les vers qui le faisaient pleurer et nous faisaient trembler à l'idée que le señor Pere puisse nous sortir du puits d'oubli et de terreur dans lequel nos parents nous avaient plongés « pour que nous ne vivions pas ce qu'ils avaient vécu à cause de la politique ». Mais, s'il nous enseignait des chansons et nous invitait à mettre en scène son œuvre inédite, *Un digne fill de ta raça* *, obligatoirement traduit par « Un digne fils de Tarrase », en échange nous lui offrions le secret de notre pauvre équipe de hockey sans patins, qui jouait sur les sols des palais en ruine de la montagne de Montjuich, dont les limites étaient marquées par l'érosion et des rangées de sisymbres tenaces. Il nous ouvrit des perspectives omnisports en nous enseignant le basket-ball, à nous, cette race petite et mal nourrie, parce que le basket est plus esthétique, disait-il, et il imitait le saut de ceux qui faisaient un panier comme s'il était la représentation ascétique du danseur étoile du London Festival Ballet. « On ne perd jamais son temps avec les jeunes », répondait-il au Maure, étonné de le voir nous consacrer tout ce temps. Ce dernier interrogea Corvin, autrefois son confident préféré, pour qu'il lui expliquât la raison du succès progressif du señor Pere sur cette bande de misérables nains sauvages. La tendresse du señor Pere rendit superflue celle de mademoiselle Lola, une cousine du Maure, qui nous donnait des cours de travaux manuels

* *Un digne fils de ta race (N.d.T.).*

et de philosophie du niveau de quatrième, maximum de ce à quoi nous pouvions accéder en termes de philosophie. Mademoiselle Lola avait de jolis seins, des slips bleus et de petites mains avec lesquelles elle nous ébouriffait parfois les cheveux et nous faisait rougir. Le señor Pere lui aussi en vint à nous ébouriffer les cheveux et à donner des baisers sonores sur les joues des plus petits alors qu'il réservait aux plus grands le bras camarade passé autour des épaules ; parfois le bout de ses doigts frôlait nos joues, y déposant une empreinte de chaleur humaine. A la conquête de sa progressive familiarité, il en vint à utiliser nos toilettes collectives, à uriner sur le même horizon de carreaux ébréchés, brunis par plus de vingt strates archéologiques d'urine, enveloppé dans les mêmes effluves de sucres conservés sous la forme d'une pellicule de graisse désormais indestructible, éclaboussures d'enfer contre lesquelles rien n'y faisait, ni le désinfectant ni le peu d'eau de Javel que le budget du collège destinait à l'hygiène des toilettes collectives. Vu les circonstances, il ne portait pas à conséquence que l'un des premiers du cours des petits insinue à Corvin que le señor Pere lui avait touché le zizi sous prétexte de l'avoir vu un peu irrité dans les pissotières, alors qu'il faisait pipi avec difficulté. Pourtant et pour le cas où, Corvin convint avec Casablancas et Roig qu'ils devaient exposer le cas au señor Pere, pour éviter que la peur ou les mauvaises intentions du gamin ne provoquent un scandale. Le señor Pere se mit à transpirer et à pleurer sans rien dire, et refusa que les autres, gagnés par la sincérité de sa muette sensation d'impuissance, le consolent. Roig, le plus ému de nous trois, resta avec lui, son grand corps invaincu dans les mille batailles livrées dans les escaliers ; il était si ému que les autres laissèrent le señor Pere le consoler et s'en furent comme recouverts d'une grosse tache d'injustice et de suspicion. Arrivé dans la rue, Casablancas se rendit compte qu'il avait oublié son cartable et revint en courant dans la classe, ouvrit la porte, et sur le fond déjà sombre de la bosse de la chapelle romane il vit Roig tendu comme un arc, le pantalon telle une peau tombée sur ses chaussures et, au centre de l'arc, le membre sur lequel s'appliquait la bouche blessée du señor Pere. Un visage trois fois mouillé et des mains qui récupéraient la propriété la plus intime du corps furent les dernières images de Casablancas avant de fermer la porte et de se retirer avec la sensation d'avoir eu la poitrine découpée au couteau. Et à cette douleur au cœur s'ajouta l'angoisse du señor Pere courant derrière lui, lui demandant, le suppliant d'arrêter cette course qui les menait au désastre. Le professeur fut sur le point de réussir à retenir le fugitif d'une main, mais sa proie, furieuse, se retourna et lui envoya un coup de poing aveugle et cruel dans les lunettes, les transformant en un regard brisé. En arrivant dans la rue où l'attendait son compagnon, Casablancas était agité de frissons brûlants de violence et glacés de dégoût qui lui firent vomir son goûter et tout ce qu'il avait vu. Le lendemain, la révélation de Casablancas et de Corvin leva le voile sur la vie privée de deux douzaines d'adolescents, et le jusqu'alors secret inventaire de contacts furtifs du señor Pere se répandit de pupitre en pupitre et s'acheva à l'heure de la récréation, entre colères et plaisanteries proférées sur le dos de l'idole déchue. Quant à Roig, ses poings étaient trop puissants, mais ce jour-là il se cacha dans un coin du couloir, avec un dédain terrorisé. Inévitablement avant midi, le Maure était informé de l'état d'esprit ambiant, et le señor Pere sortit de son bureau une demi-heure plus tard, le visage portant la marque de gifles, pressé comme un animal qui peut échapper à la mort à condition de changer de maison, de pays et de planète. Le Maure nous réunit avant la sortie et nous harangua sur les valeurs viriles et la nécessité qu'un homme soit un homme avant tout, valeurs viriles qui devaient inspirer le respect de ce qu'on n'avait pas le droit de faire et la méfiance envers les tentations des vampires qui sucent la pureté et l'intégrité. Il nous refit le même discours deux semaines plus tard, quand le gamin aux ganglions, celui de deuxième année, fut surpris avec le membre de Corvin dans la bouche, sous le troisième banc de la file de gauche, juste à côté du tableau sur lequel le Maure avait tenté de nous expliquer, à nous les quatrième année, assez inutilement d'ailleurs, la logique interne de l'équation au troisième degré. Roig, Corvin et le gamin aux ganglions furent, cette fois-ci, surpris dans la même situation par deux étudiants du cours commercial, dans le pire des WC collectifs, et par là même le moins fréquenté. Le Maure considéra que ses harangues étaient insuffisantes face à l'épidémie et, d'un commun accord avec le curé, il nous soumit à des exercices spirituels dans les ténèbres de la chapelle du Très Saint, située dans les bas-côtés de l'église du quartier, des exercices spirituels monographiques sur la force et la pureté de notre seigneur Jésus-Christ qui doivent descendre en nous.

Des années plus tard, j'ai aperçu de loin Corvin et Roig avec leurs femmes et enfants, figures miraculeusement vieillies dans un retable adolescent à jamais figé. L'enfant aux ganglions mourut d'« une méchante maladie » comme l'expliqua sa mère aux voisins, de leucémie selon un diagnostic plus exact. Quant au señor Pere, je le vis des années plus tard dans le parc Güell, à la tête d'une meute d'enfants de maternelle. Il portait le même costume ou peut-être la même vieillesse dans son costume. Il évaluait les distances avec des yeux de myope, souriait de sa bouche de fleur du mal et d'une main il tenait et caressait celle d'un enfant minuscule et livide que tous les autres suivaient, avec des gesticulations de folie mêlée de tristesse.

1985

Sur quoi travailles-tu actuellement ?

Terreur au Salon du livre

Une seconde de distraction, et on se retrouve membre de la Croix-Rouge. La dame en organdi te montre un recueil inédit de poèmes. Lui, c'était un marin lapon qui faisait la ligne Nouvelle-Orléans-Conil de la Frontera. Naturellement, elle l'a trouvé sur le port, à la tombée de la nuit. Et le poète social végétarien. Et la vieille décoratrice qui cherche un livre de format vingt sur trente, si possible à couverture bleue. Et le critique amateur qui n'est pas d'accord avec ton dernier livre, mais qui en revanche avait tant aimé l'autre, si, voyons, mais si, il était tellement bon, ah, je l'ai sur le bout de la langue, ah, ça y est, je l'ai trouvé : *Ashanti. Ashanti,* ça c'était un bon livre, tandis que le dernier, mon vieux, on le voit bien, ce n'est pas ton truc. Vous croyez que ce livre plaira à mon mari ? Comment est votre mari, madame ? Très droit. Alors, ne le lui achetez pas. Merci beaucoup, je ne sais comment vous remercier, mais je vais le lui acheter quand même, il m'emmènera au restaurant. Encore qu'il n'a toujours pas lu le dernier livre que je lui ai acheté au salon de 1978. Dédicacez-moi celui-là. Mettez : A Leo, de la part de son camarade Manolo. Maintenant nous sommes deux.

Les yeux de ceux qui en savent plus sur toi que sur tes écrits t'assassinent, de même que ceux qui ne te connaissent que par tes écrits. Sans compter ceux qui regardent le prix, puis te regardent, et tu ne souffres pas la comparaison, mon vieux, appuyé sur ton stand, à attendre la jeune fille de tes rêves, celle qui arrivera un jour et ne te demandera pas une dédicace mais ton numéro de téléphone.

Les haut-parleurs annoncent que tu es là, mais tu assistes en réalité à une cérémonie multiple pendant laquelle on te baptise, on te marie et on t'enterre. Une cérémonie qui n'a rien à voir avec toi et que tu contemples depuis l'au-delà de cette identité que vante la sonorisation. Cette sonorisation qui ne se rend compte de rien. Il y a des collectionneurs de dédicaces qui voudraient que tu leur rédiges une préface pour eux tout seuls, et d'autres qui se fâchent si tu leur en mets plus long qu'un « amitiés à Untel », comme si tu osais barbouiller une façade qu'ils viennent d'acheter et de peindre. Et celui qui fait semblant de t'acheter, et finalement ne t'achète pas. Et la fille de tes rêves qui cherche un écrivain espagnol aussi beau que Le Clézio et ne le trouve pas. Ce qui la dégoûte de la littérature. Et l'écrivain qui ne se vend pas, qui n'a rien à vendre et qui t'envoie son mépris à la figure. Et ce salaud qui ne t'a pas inclus dans son anthologie. Et le minus de merde, à coup sûr impuissant, qui ne t'a même pas pris en compte dans ses pronostics sur les valeurs sûres de l'an 2000. Et cette imbécile ménopausée qui chaque fois qu'elle te voit te traite comme si tu étais l'homme de Ruiz Mateos dans la littérature espagnole. Avoue, dis-moi, combien te donne Lara pour chaque Carvalho ? Tu vends, hein ? Tu vends ? Tu essaies de dire que c'est pas vrai, que tu ne vends pas, que ce sont des calomnies, que seule l'immense minorité éclairée t'achète, que Garciá Márquez vend bien plus que toi, et Juan Goytisolo presque autant depuis des lustres. Mais l'imbécile reste accrochée à ses treize idées fixes et tu ne seras jamais la quatorzième. Tu compatis un peu à sa douleur. Ma limousine est en panne. Mon petit chien est mort. J'ai dû l'enterrer de mes propres mains. Ça m'a tellement retournée que mes boîtes de caviar pourrissent dans ma bélugathèque. Mais l'imbécile insiste avec son index tout ratatiné à force d'être pointé sur moi. Tu vends ! Tu vends ! Je t'ai vu ! Le critique qui la ramène avec sa méthodologie prévisible : trois paragraphes clamant qu'il te comprend parfaitement, et un quatrième pour démontrer qu'il est plus malin que toi, qu'il te conseille, que ce n'est pas ça, que ce n'est pas ça, mais... complètement stérile. Et l'autre critique qui a appris à lire une fois pour toutes et est, *rigor mortis,* de tous les enterrements littéraires. Et la fée Carabosse, menaçante : « Tu connais la renommée mais pas la gloire ! On ne peut pas tout avoir ! » La fée Carabosse survole le salon à califourchon sur un balai qu'elle a acheté en solde à une tombola de charité en faveur d'un écrivain, grand propriétaire terrien ruiné, qui a besoin d'un lit, ou d'un écrivain tuberculeux, communiste et pauvre. C'est le moment idéal pour l'attentat. A cent vingt mètres de toi s'est posté le mercenaire avec son fusil à lunette. C'est un ancien légionnaire qui a empoché cent cinquante mille pésètes pour te tuer histoire de te déloger de la place que tu occupes. Du haut de ta mégalomanie, tu imagines que les sponsors du crime sont des rois du pétrole texans ou des sbires à la solde d'une branche parallèle du KGB. Et il est bien possible qu'il ne te rate pas et que tu ne saches jamais que ton assassin est un quelconque pseudonyme, finaliste malchanceux d'un quelconque concours visant à déterminer le sexe des anges, comme le prix Planēta. Ou la ligue Pro Rigor Mortis littéraire. Ou l'Association des veuves d'écrivains inédits ayant donné leur parole d'honneur. Ou la Secte du baroque rose ou celle du Nombril sans fond.

Mais si tu survis, arrivera inévitablement cette fille collée à son magnétophone, pour dire que tu es polyvalent et prolifique et poète et romancier et essayiste et journaliste et gastronome, comme si la gastronomie était un genre littéraire. Mais il te reste une dernière pilule à avaler. Quand la fille au magnétophone t'aura laissé au bout de ton rouleau biographique, elle t'enfoncera le micro dans la bouche et demandera que tu lui dises sur quoi tu travailles actuellement.

1985

Le voyage

Les croisières sont des exercices de mémoire et n'existent que de façon très aléatoire dans la réalité. Un beau jour, la mémoire restitue le mot « croisière » et autour de lui danse une poignée d'images, vivantes ou brisées : le décolleté de la dame à la parure d'ambre à l'instant où elle accepte l'invitation à la valse, la malicieuse complicité du violoniste qui embroche, du bout de son archet, le pourboire d'un fourreur australien découvrant le monde ; ou bien cet instant, sublime entre tous, où elle et lui, accoudés – ils sont toujours accoudés – au bastingage, contemplent le croissant argenté de la lune au-dessus de la mer, le pressentiment d'un baiser dans leurs corps et une douce brise caressant sa chevelure ; la sienne, bien sûr.

Était-ce sur le *Cunard Countess* pour un tour des Antilles depuis San Juan de la Guayra, ou sur le *Princess,* un paquebot néerlandais qui, de Singapour, sillonnait les routes du sel : Penang, Nyass, Sumatra, ou bien encore sur cet affreux bateau soviétique bien décidé à se « méditerraniser » : Barcelone, Gênes, Naples, Tunis, Malte, Ibiza ?... Je ne m'en souviens plus. Mais la dame d'Amsterdam, elle, était là ! Une imposante rousse à l'élégance raffinée, à la peau rêche sur les rondeurs, mais que l'on devinait humide et délicate dans les replis. Je dis deviner, parce que la dame d'Amsterdam était sous la coupe d'un vieil homme sage et beau dans sa décadence, qui sentait l'argent et le hobby culturel. Il était éditeur-amateur d'éditions pour bibliophiles : un poème inédit de Saint-John Perse, édité comme s'il s'agissait du saint sacrement. Et si je me souviens d'eux, encore que je ne me souvienne pas de l'endroit, c'est parce qu'ils se distinguaient de cette riche foule de charcutiers sentant le ketchup, membres du Rotary Club et connaisseurs de la sinistre géographie des terrains de golf qui transforme une partie de cette terre en une parodie du vide et du vertige que l'on ressent aux abords de n'importe quels confins de l'Univers.

Était-ce dans le quartier colonial de San Juan que, bien malgré elle, la dame d'Amsterdam me découvrit ses jambes, par la faute d'une brise excessive qui agitait au coin des rues les enseignes de cuivre des antiques auberges devenues boutiques de prêt-à-porter pour touristes ? Éclaboussées de tâches de rousseur sur un lait crémeux, les jambes de la dame d'Amsterdam furent mon obsession secrète durant cette croisière où je l'ai attendue en vain au bord des piscines du bateau, véritables baignoires pour enfants et matrones américaines qui ont le chic pour s'agglutiner sur les marches de l'échelle.

La dame d'Amsterdam, c'était autre chose. Cette impression se confirma lors de l'escale de Penang où les passagères se ruèrent sur les batiks vendus à des prix du tiers monde, blanches piranhas d'Occident se précipitant sur ces tissus mouchetés, fascinées par la misère lorsqu'elle est bon marché autant que par l'ostentation suicidaire du chasseur qui a obtenu un éléphant bleu pratiquement à l'œil. La dame d'Amsterdam, en revanche, promena son grand corps entre les étals malais et les piranhas occidentaux, sans se contaminer à tant de sueur mentale, puis elle retourna au bateau néerlandais, le regard apaisé grâce à la visière de sa capeline blanche, tenant discrètement le bras du vieux millionnaire, amateur de glorieux poètes conformistes.

Avec cette même dignité de cliente de luxe dans une boutique de luxe, cette rousse si totalement femme se promenait aux alentours de Penang ou dans le chapelet d'escales indonésiennes dans des cimetières de figurines en teck, imperturbable même lorsqu'on lui offrit une représentation de l'arbre de vie polie par les mains des cent mille meilleurs artisans du port. Et je ne suis pas prêt d'oublier, dans les îles Nyass, son sourcil levé, comme pour mieux voir la lance que brandissait un indigène, sujet rêvé pour anthropologue, très primitif, avec son pagne, ses tatouages et le regard rieur d'un maçon de la Costa del Sol, agitant sa lance phallique en direction de ma dame. Et avec quelle délicatesse elle a bu deux tasses de thé glacé au citron, que les porteurs avaient descendu du bateau et laissé sur le quai, sous un parasol, à l'intention des passagers de retour d'excursion, imbibés de sueur et de l'indigénisme des Chœurs et Danses d'Indonésie, section îles de Nyass.

Serait-ce que ma mémoire me joue des tours au point de me faire oublier que la vraie rencontre avec la dame d'Amsterdam a eu lieu dans les rues de La Valette, grâce à l'heureuse coïncidence d'une grève de syndicats méditerranéens et du débarquement de passagers d'un bateau de croisière soviétique ? Il faisait une chaleur infernale, et je crus voir quelques gouttes de sueur perler sur sa lèvre supérieure, qui macérait, comme le reste de son corps, dans cette après-midi maltaise torride et humide, où l'avant-garde de la classe ouvrière méditerranéenne scandait en chœur des slogans. La dame avait les yeux brillants et transmettait son enthousiasme au vieillard en lui serrant le bras de ses longs doigts puissants, terminés par des ongles vernis de mauve, aux reflets métalliques. C'était l'enthousiasme de la bourgeoisie éclairée devant le spectacle des belles révolutions, celles qui durent de quatre à six, programmées pour réveiller les illusions contrôlées dans les esprits les plus fins et les plus sensibles de ce que, dans ma jeunesse, j'aurais appelé la classe dominante. Et si cette révolution contrôlée de quatre à six a lieu lors d'une escale, gratuitement, sans figurer dans les prévisions des organisateurs du voyage, alors là c'est le *must*, parce que ça renforce la raison d'être des croisières : un circuit fermé sur lui-même, mais ouvert à l'infinie variété de l'âme portuaire. La tentation libérale de la dame d'Amsterdam, et, sans aucun doute, de son silencieux compagnon, était telle que je l'écoutais ferrailler comme un spadassin de l'esprit contre une ex-Polonaise qui osait se montrer désagréablement anticommuniste.

« On peut échapper aux dictatures blanches, noires ou café au lait. Mais aux rouges, jamais. »

Elle sirotait un daiquiri – ou était-ce un mojito ? –, la Polonaise qui essayait de donner une leçon d'histoire à un couple de jeunes mariés espagnols indifférents à l'avenir historique qui les attendait. Un certain Franco était mort et enterré depuis un an, et l'été étrennait un gouvernement jeune et ouvert aux changements.

« N'ouvrez pas les portes de Troie au cheval soviétique », dit la Polonaise devant les côtes de Grenade, avant de débarquer à la recherche de petits sacs d'épices en feuilles de palme tressées, sous le regard velouté d'adorables négrillonnes graciles. La dame d'Amsterdam parla de liberté, y compris de la liberté de commettre des erreurs historiques, et tandis qu'elle parlait, son compagnon souriait et parcourait le ciel des yeux, comme ces présentateurs de télévision qui lisent le message qu'ils transmettent au public sur un écran placé derrière la caméra qui les filme. Le vieux vérifiait dans le ciel légèrement couvert des Caraïbes la justesse des arguments poétiques de sa compagne, et, à en juger par ses affirmations et ses soupirs de plaisir, il en était satisfait selon des critères connus de lui seul, mais qui se trouvaient là, justement là, dans le ciel. Je tentai d'établir une complicité idéologique avec le couple en arrivant à la Guayra, où nous attendaient un groupe d'adolescents noirs, qui frappaient sur des bidons vides comme sur des tambours, et un slogan électoral ou dictatorial, écrit sur le mur d'un des hangars du quai : « Vazquezito au pouvoir ». Les chauffeurs de taxi ne tardèrent pas à nous apprendre que le petit Vazquez était l'héritier de la tradition combative et syndicale de Vazquez, le roi du port, comme Kim Il-sung II ou Ceaucescu II essaieront de perpétuer les glorieuses dynasties instaurées par leurs pères.

Était-ce pendant la visite de la maison de Bolivar, ou dans le grand et presque inutile centre culturel de Caracas, que je me présentai comme un Espagnol rallié à la cause de la défense du droit à l'erreur collective ?

Dans le regard de la dame, je lus qu'elle appartenait à cette humanité progressiste qui estime que la race des Espagnols éclairés s'est éteinte avec l'assassinat de García Lorca, une impression confirmée par la solidarité réjouie du vieillard qui avait édité dans les années cinquante une version de *Poète à New York* en parchemin de fœtus de chevrette néo-zélandaise, édition unique en son genre. D'objet de surprise je passai à celui de curiosité quand je proclamai mon admiration pour Saint-John Perse et Berlinguer, la Cuba castriste et l'Oreiller de la Belle Aurore, le plat le plus sophistiqué jamais créé par l'ambition culinaire humaine. Je comprends que c'était trop de contrastes pour un seul homme et pour l'ambiance, conventionnelle, qu'on le veuille ou non, d'un bateau de croisière. Et j'attribue à mon incontinence verbale et à cette souffrance que me cause la banalité de mon esprit le fait que l'intérêt de la dame, allumé comme un feu de paille, se consumât rapidement une fois qu'elle m'eut classé dans le petit espace réservé aux Espagnols, dans sa collection d'esprits complexes.

Une certaine relation s'établit cependant. Sourires décontractés devant les dîners-buffets, abondants mais monotones quand ils étaient soviétiques, parfaits et ambitieux lorsqu'ils étaient hollandais et servis sur le *Cunard* par des héritiers du goût sublime des riches anglais du XIXe siècle formés par les chefs français qui avaient fui les excès de la révolution. La dame d'Amsterdam ne mangeait que les mets les plus rafffinés, et jamais, jamais ne fut surprise à commettre la grossièreté de reprendre d'un plat, contrairement à la plupart des amateurs de croisières qui retrouvent l'esprit prédateur de l'homme des cavernes à la vue d'une table croulant sous les victuailles et n'offrant d'autres limites que celle de l'appétit. De tous les buffets auxquels j'ai assisté pendant cette croisière, le pire fut celui de la descente du Nil, depuis Assouan jusqu'à l'infini archéologique de cette authentique galaxie de mythes et de rois bestiaux et chimériques. Fort heureusement, la tranquillité d'une croisière sur un fleuve tranquille donne à l'âme du palais un calme olympien, associe le regard aux grands travaux de terrassement du fleuve, et pardonne jusqu'à l'injuste existence d'un vin égyptien polyvalent et plat, prétentieusement appelé Omar Khayan.

Lui ai-je dit qu'elle était la femme de ma vie au moment où elle plongeait la louche dans la soupière pleine de Bortsch ou quand elle extrayait, avec la précision d'un chirurgien, un médaillon de foie gras truffé du Périgord de son sépulcre de gélatine ? J'ai la conviction qu'il y eut une certaine relation gastronomique entre les deux appétits les plus humains, comme si elle était dotée d'une bouche hermaphrodite, capable à la fois de jouir du plaisir de la chasse et du goût du gibier. A moins que ce ne fût sur le pont, profitant d'un engourdissement du vieillard, qu'elle soutenait d'un bras rond, solide, de Hollandaise bien née, encore qu'ultérieurement affiné par la poésie et les massages d'eau de mer. La poupe du bateau ondulait vers l'ombre lointaine de Saint-John Perse et la solitude de la dame m'incita à reprendre la conversation là où nous l'avions laissée. Mais, comme tous les grands animaux puissants, la dame d'Amsterdam était très maîtresse de son temps, et en quelques secondes elle décida qu'elle ne devait se montrer que discrètement aimable, en attendant que je fasse preuve d'un peu plus d'audace, et là on verrait les effets de la nuit, des tropiques, des étoiles, l'ombre du souvenir de scènes semblables à celles jouées par Cary Grant et Irene Dunne, ou à défaut par n'importe quel couple ignorant les mesquineries de la vie, telles que le travail alimentaire.

Fut-ce alors que je l'embrassai et lui touchai le sein gauche, seulement le gauche, à moins qu'il ne s'agisse d'une autre croisière à bord d'un bateau quelconque dont le trajet importe peu, car il est possible de douter de la nécessité que les croisières soient exactes et réelles ? Si je lui ai touché le sein gauche, c'est probablement que par ce simple geste je me sentais rassasié, tant elle était grande et belle, et que, de toute façon, brûler les étapes dans une croisière est l'apanage des malotrus et des nouveaux riches qui voyagent en compagnie de leur secrétaire ou de filles leur servant de cobaye ou d'illusoires fuites en avant. Tenir ce sein dans une de mes mains pendant un long instant, alors que ses yeux blonds souriaient en éclaireurs d'un esprit sûr de lui, donnait tout son sens à un contact éminent et furtif entre deux nuits, entre deux ports, devenait le motif d'un rêve éternel et inépuisable sans rituels désagréables ou codifiables. N'est-ce pas ? Peut-être ne lui ai-je pas touché le sein droit parce qu'elle m'a furieusement giflé en invoquant le respect pour l'absent, un homme qui, en dépit de son âge, était l'un des athlètes sexuels les plus connus d'Amsterdam ?

Ce qui est sûr, c'est que la croisière indonésienne prenait fin à Jakarta et que, de là, il fallait prendre un avion pour connaître un heureux épilogue dans l'île de Bali ; je vis de l'affection dans les yeux du couple lorsqu'ils réalisèrent que j'étais des leurs, c'est-à-dire un de ceux qui poursuivaient le voyage jusqu'à ses ultimes conséquences. C'est aussi de l'affection qu'il y avait quand nous nous sommes retrouvés côte à côte dans la foule qui assistait à une représentation du *Ramayana*. Je me sentais heureux, car je supposais que nous avions écrit une belle histoire à trois, à travers pays et océans qui sans elle ne seraient rien pour nous, et c'est pourquoi j'ai souffert, le mot n'est pas trop fort, je me souviens d'avoir eu très mal quand, pendant un entracte, la dame d'Amsterdam me donna un énorme coup de coude, et avec un sourire et un geste trop larges pour être honnêtes, me cria :

« Espagnol ! Torero ! Ollé ! »

Et le petit vieux tout content qui criait : « García Lorca ! García Lorca ! » Était-ce à Bali ? Au pied du mont Ávila ? Près des sièges de Drake aux Antilles ? Sur la place de la Savannha à Trinidad ? A Malte ? Je ne me souviens plus, mais c'est arrivé. Et quand j'évoque ce souvenir, j'en déduis que notre relation ne peut avoir été telle que je l'imagine, à moins que l'on ne convienne que trois personnes peuvent difficilement faire coïncider leurs rêves et leurs désirs. Toujours est-il que les croisières seraient des paradis inutiles et fugaces, malgré leur sensualité objective, si l'on ne savait pas au départ qu'elles ne sont rien d'autre que des stimulants pour l'imagination et, par conséquent, imaginaires.

1986

Table

Du même auteur

La Solitude du manager
Le Sycomore, 1981
UGE, « 10/18 », 1988

Meurtre au comité central
Le Sycomore, 1982
Seuil, « Points Roman », n° 285

Les Oiseaux de Bangkok
Seuil, 1987
UGE, « 10/18 », 1991

Les Mers du Sud
UGE, « 10/18 », 1988

La Rose d'Alexandrie
Christian Bourgois, 1988
UGE, « 10/18 », 1990

Le Pianiste
Seuil, 1988
et « Points Roman », n° 415

La Joyeuse Bande d'Atzavara
Seuil, 1989
et « Points Roman », n° 452

Les Thermes
Christian Bourgois, 1989

Happy End
Complexe, 1990

Ménage à quatre
Seuil, 1990
et « Points Roman », n° 511

Tatouage
Christian Bourgois, 1990
UGE, « 10/18 », 1992

Histoires de politique-fiction
Christian Bourgois, 1990
UGE, « 10/18 », 1992

Hors jeu
Christian Bourgois, 1991
UGE, « 10/18 », 1992

Histoires de famille
Christian Bourgois, 1992

Galindez
Seuil, 1992

Labyrinthe grec
Christian Bourgois, 1992

Mémoires de Barcelone
La Sirène, 1993

Histoires de fantômes
Christian Bourgois, 1993

IMPRIMERIE HÉRISSEY À ÉVREUX (EURE)
DÉPÔT LÉGAL JUIN 1993. N° 20499 (61568)

OUVRAGES
DE LANGUES ESPAGNOLE ET PORTUGAISE

HÉCTOR AGUILAR CAMÍN

La Mort à Veracruz, 1992

REINALDO ARENAS

Le Monde hallucinant, 1969
coll. « Points Roman », n° 356
Le Puits, 1973
Le Palais des très blanches mouffettes, 1975
La Plantation, 1983
Arturo, l'étoile la plus brillante, 1985
Encore une fois la mer, 1987

HOMERO ARIDJIS

1492. Les Aventures de Juan Cabezón de Castille, 1990
coll. « Points Roman », n° 498
1492. Mémoires du Nouveau-Monde, 1992

MIGUEL-ANGEL ASTURIAS
Prix Nobel

Soluna, 1969
Vendredi des douleurs
coll. « Points Roman », n° 457
Le larron qui ne croyait pas au ciel
coll. « Points Roman », n° 505

FÉLIX DE AZÚA

Histoire d'un idiot racontée par lui-même
coll. « Points Roman », n° 439
Hautes Trahisons, 1993

ADOLFO BIOY CASARES

Le Héros des femmes
coll. « Points Roman », n° 497

Nouveaux Contes de Bustos Domecq
coll. « Points Roman », n° 526

Nouvelles démesurées
coll. « Points Roman », n° 559

ALFREDO BRYCE-ECHENIQUE

La Vie exagérée de Martín Romaña
coll. « Points Roman », n° 467

L'homme qui parlait d'Octavia de Cadix
coll. « Points Roman », n° 523

JORGE LUIS BORGES

Evaristo Carriego, 1970
coll. « Points Roman », n° 167

Nouveaux Contes de Bustos Domecq
coll. « Points Roman », n° 526

GUILLERMO CABRERA INFANTE

La Havane pour un Infante défunt, 1985

GERMÁN CASTRO CAYCEDO

Je lègue mon âme au diable, 1986
coll. « Points Roman », n° 490

Mille Fusils à la mer, 1991

CAMILO JOSÉ CELA
Prix Nobel

La Famille de Pascal Duarte, 1948
coll. « Points Roman », n° 386

FERNANDO DEL PASO

Palinure de Mexico
coll. « Points Roman », n° 426

JOSÉ DONOSO

L'Obscène Oiseau de la nuit, 1972

coll. « Points Roman », n° 394

AUTRAN DOURADO

L'Opéra des Morts, 1986

CRISTINA FERNÁNDEZ CUBAS

L'Année de Grâce, 1987

JESÚS FERRERO

Belver Yin, 1990

GRISELDA GAMBARO

Rien à voir avec une autre histoire…

coll. « Point-Virgule », n° 52

GABRIEL GARCÍA MÁRQUEZ

Prix Nobel

Cent Ans de solitude, 1968

Prix du meilleur livre étranger

coll. « Points Roman », n° 18

PERE GIMFERRER

Fortuny, 1992

JUÃN GOYTISOLO

Juan sans terre, 1977

Makbara, 1982

JOSE MARIA GUELBENZU

Rivière de lune, 1992

JOÃO GUIMARAES ROSA

Buriti, 1961

Les Nuits du Sertão, 1962

Hautes Plaines, 1969

MILTON HATOUM

Récit d'un certain Orient, 1993

JOSÉ LEZAMA LIMA

Paradiso, 1971
coll. « Points Roman », n° 145

Le Jeu des décapitations, 1984
coll. « Points Roman », n° 431

Oppiano Licario, 1991

EDUARDO MENDOZA

Le Mystère de la crypte ensorcelée, 1982
coll. « Points Roman », n° 324

Le Labyrinthe aux olives, 1985
coll. « Points Roman », n° 380

La Ville des prodiges, 1988
coll. « Points Roman », n° 401

L'Ile enchantée, 1991

La Vérité sur l'affaire Savolta
coll. « Points Roman », n° 477

L'Année du déluge, 1993

LUIS MIZÓN

La Mort de l'Inca, 1992

JESÚS MONCADA

Les Bateliers de l'Èbre, 1992

VICENTE MUÑOZ PUELLES

Ombres siamoises, 1991

PILAR PEDRAZA

Le Vitrail écarlate, 1991

VIRGILIO PIÑERA

Nouveaux Contes froids, 1988

SERGIO PITOL

Parade d'amour, 1989
Les Apparitions intermittentes d'une fausse tortue, 1990

MANUEL PUIG

Les Mystères de Buenos Aires, 1973
coll. « Points Roman », n° 336
Le Baiser de la femme-araignée, 1979
coll. « Points Roman », n° 250

AUGUSTO ROA BASTOS

Moi, le Suprême, 1993

ERNESTO SÁBATO

Alejandra, 1969
coll. « Points Roman », n° 89
L'Ange des ténèbres, 1976
Prix du meilleur livre étranger
coll. « Points Roman », n° 123
Le Tunnel, 1978
coll. « Points Roman », n° 66
L'Écrivain et la Catastrophe, 1986

JOSÉ SARAMAGO

L'Année de la mort de Ricardo Reis, 1988
coll. « Points Roman », n° 507
Le Radeau de pierre, 1990
Histoire du siège de Lisbonne, 1992

SEVERO SARDUY

Gestes, 1963
Ecrit en dansant, 1967
Cobra, 1972
Prix Médicis étranger
coll. « Points Roman », n° 226
Barroco, 1975
Maïtreya, 1980
Colibri, 1986

ANTONIO SKÁRMETA

T'es pas mort !
coll. « Point-Virgule », 1982

Le Cycliste de San Cristobal
coll. « Point-Virgule », 1984

Une ardente patience, 1987
coll. « Point-Virgule », 1988

RAMÓN DEL VALLE-INCLÁN

Tirano Banderas
coll. « Points Roman », n° 486

MARÍA-ESTHER VÁZQUEZ

Borges : Images, Dialogues et Souvenirs, 1985

MANUEL VÁZQUEZ MONTALBÁN

Meurtre au comité central
coll. « Points Roman », n° 285

Les Oiseaux de Bangkok, 1987

Le Pianiste, 1988
coll. « Points Roman », n° 415

La Joyeuse Bande d'Atzavara, 1989
coll. « Points Roman », n° 452

Ménage à quatre, 1990
coll. « Points Roman », n° 511

Le Tueur des abattoirs, 1991

Galíndez, 1992

Collection Points

SÉRIE ROMAN

DERNIERS TITRES PARUS

R550. La Patte du scarabée, *par John Hawkes*
R551. Sale Histoire, *par Eric Ambler*
R552. Le Silence des pierres, *par Michel del Castillo*
R553. Une rencontre en Westphalie, *par Günter Grass*
R554. Ludo & Compagnie, *par Patrick Lapeyre*
R555. Les Calendes grecques, *par Dan Franck*
R556. Chaque homme dans sa nuit, *par Julien Green*
R557. Nous sommes au regret de..., *par Dino Buzzati*
R558. La Bête dans la jungle, *par Henry James*
R559. Nouvelles démesurées, *par Adolfo Bioy Casares*
R560. Sylvie et Bruno, *par Lewis Carroll*
R561. L'Homme de Kiev, *par Bernard Malamud*
R562. Le Brochet, *par Eric Ambler*
R563. Mon valet et moi, *par Hervé Guibert*
R564. Les Européens, *par Henry James*
R565. Le Royaume enchanté de l'amour, *par Max Brod*
R566. Le Fou noir *suivi de* Le poing fermé, *par Arrigo Boito*
R567. La Fin d'une époque, *par Evelyn Waugh*
R568. Franza, *par Ingeborg Bachmann*
R569. Les Noces dans la maison, *par Bohumil Hrabal*
R570. Journal, *par Jean-René Huguenin*
R571. Une saison ardente, *par Richard Ford*
R572. Le Dernier Été des Indiens, *par Robert Lalonde*
R573. Beatus Ille, *par Antonio Muñoz Molina*
R574. Les Révoltés de la « Bounty »
par Charles Nordhoff et James Norman Hall
R575. L'Expédition, *par Henri Gougaud*
R576. La Loi du capitaine, *par Mike Nicol*
R577. La Séparation, *par Dan Franck*
R578. Voyage autour de mon crâne, *par Frigyes Karinthy*
R579. Monsieur Pinocchio, *par Jean-Marc Roberts*
R580 Les Feux, *par Raymond Carver*

R581. Mémoires d'un vieux crocodile, *par Tennessee Williams*
R582. Patty Diphusa, la Vénus des lavabos
par Pedro Almodóvar
R583. Le Voyage de Hölderlin en France
par Jacques-Pierre Amette
R584. Les Noms, *par Don DeLillo*
R585. Le Châle, *par Cynthia Ozick*
R586. Contes d'amour de folie et de mort, *par Horacio Quiroga*
R587. Liberté pour les ours !, *par John Irving*
R588. Mr. Stone, *par V. S. Naipaul*
R589. Loin de la troupe, *par Heinrich Böll*
R590. Dieu et nous seuls pouvons, *par Michel Folco*
R591. La Route de San Giovanni, *par Italo Calvino*
R592. En la forêt de longue attente, *par Hella S. Haasse*
R593. Lewis Percy, *par Anita Brookner*
R594. L'Affaire D., *par Charles Dickens*
Carlo Fruttero et Franco Lucentini
R595. La Pianiste, *par Elfriede Jelinek*
R596. Un air de famille, *par Michael Ondaatje*
R597. L'Ile enchantée, *par Eduardo Mendoza*
R598. Vineland, *par Thomas Pynchon*
R599. Jolie, la fille !, *par André Dubus*
R600. Le Troisième Mensonge, *par Agota Kristof*
R601. American psycho, *par Bret Easton Ellis*
R602. Le Déménagement, *par Jean Cayrol*
R603. Arrêt de jeu, *par Dan Kavanagh*
R604. Brazzaville Plage, *par William Boyd*
R605. La Belle Affaire, *par T. C. Boyle*
R606. La Rivière du sixième jour, *par Norman Maclean*
R607. Le Tarbouche, *par Robert Solé*
R608. Leurs mains sont bleues, *par Paul Bowles*
R609. Une femme en soi, *par Michel del Castillo*
R610. Le Parapluie jaune, *par Elsa Lewin*
R611. L'Amateur, *par André Balland*
R612. Le Suspect, *par L. R. Wright*
R613. Le Tueur des abattoirs
par Manuel Vázquez Montalbán
R614. Mémoires du Capitán Alonso de Contreras
par Alonso de Contreras